Ana
Gilbert
Diana

RBA MOLINO

Traducción y adaptación de Ana Isabel Sánchez

Ilustraciones de Maria Llovet

RBA

Texto adaptado a partir de la segunda parte del libro
Ana de las Tejas Verdes.
Título original: *Anne of Green Gables.*
Autora: Lucy Maud Montgomery.

Avda. Diagonal, 189 - 08018 Barcelona.
rbalibros.com

Diseño de colección: lookatcia.com

Primera edición: octubre de 2017.
Segunda edición: octubre de 2017.

RBA MOLINO
REF.: MONL391
ISBN: 978-84-272-1190-2
DEPÓSITO LEGAL: B. 20.572-2017

ANGLOFORT, S. A. · PREIMPRESIÓN

Impreso en España - *Printed in Spain*

CAPÍTULO 1

ANA AL RESCATE

PUEDE PARECER EXTRAÑO QUE ALGO TAN REMOTO como la política influyera en la vida que la pequeña Ana Shirley llevaba en Las Tejas Verdes, pero así fue.

En enero, el primer ministro de Canadá viajó hasta la Isla del Príncipe Eduardo para dar un discurso en un encuentro multitudinario celebrado en Charlottetown, a cincuenta kilómetros de Avonlea. Muchos de los habitantes del pueblo, entre ellos Marilla, decidieron asistir al mitin.

La mujer tenía cierto interés en la política y, dado que probablemente aquella tal vez fuera la única oportunidad que tendría de ver a un primer ministro en carne y hueso, decidió aprovecharla; así que dejó a Ana y a Matthew a cargo de la casa hasta que ella regresara al día siguiente.

Los dos estaban en la alegre cocina de Las Tejas Verdes disfrutando del fuego de la chimenea. Matthew daba cabezadas, cómodamente instalado en el sofá, y Ana estaba sentada a la mesa estudiando con empeño, a pesar de que se moría de ganas de empezar a leer el nuevo libro que Jane Andrews le había prestado. Pero si caía en la tentación, Gilbert Blythe sacaría mejor nota que ella al día siguiente, así que trató de imaginar que el libro no estaba allí.

—Matthew, ¿tú estudiaste geometría cuando fuiste al colegio?

—Pues no, la verdad —contestó él tras salir de su duermevela con un respingo.

—Ojalá la hubieras estudiado, porque así podrías entenderme —suspiró Ana—. Se me da fatal, Matthew. Me está amargando la vida.

—Bueno, yo no lo tengo tan claro —dijo él para tranquilizarla—. El otro día me encontré con el señor Phillips y me dijo que eras la alumna más lista de la escuela y que estabas progresando muy rápido. Por ahí dicen que Teddy Phillips no es un gran profesor, pero yo creo que no está mal.

Matthew habría defendido a cualquiera que alabara a Ana.

—Creo que se me daría mejor la geometría si el señor Phillips no cambiara las letras constantemente —se quejó Ana—. Yo me las aprendo tal como vienen

en el libro, y él va y las pone de otra forma... No es justo. ¿Cómo se lo estarán pasando Marilla y la señora Lynde? La señora Lynde dice que si las mujeres tuvieran derecho a voto, no tardaríamos en ver un cambio maravilloso. ¿Has cortejado alguna vez a una mujer, Matthew?

—Vaya, pues no, no creo que lo haya hecho nunca —respondió el hombre, a quien no se le había ocurrido pensar en algo así en toda su vida.

Ana reflexionó con la barbilla apoyada en las manos.

—Debe de ser muy interesante, ¿no te parece, Matthew? Ruby Gillis dice que cuando sea mayor va a tener muchos novios y que todos estarán locos por ella, pero yo creo que eso es exagerar un poco. Yo preferiría tener solo uno y con dos dedos de frente. Pero Ruby Gillis sabe mucho de estos asuntos, porque tiene un montón de hermanas mayores. La verdad es que yo no entiendo muy bien la mayoría de las cosas que ocurren en este mundo, Matthew.

—Bueno, la verdad es que yo tampoco las comprendo mucho —reconoció el hombre.

—Bien, voy a seguir estudiando. No abriré el libro que Jane me ha prestado hasta que haya acabado, pero es una tentación terrible, Matthew. Creo que voy a meterlo en la alacena de las conservas y que te daré la llave a ti para que la guardes. No debes dár-

mela bajo ningún concepto, Matthew, ni siquiera aunque te lo suplique de rodillas, hasta que termine de aprenderme la lección. Y cuando acabe bajaré al sótano a buscar unas manzanas, ¿no te apetecen muchísimo, Matthew?

—Por supuesto que sí —contestó él, que nunca comía manzanas pero que sabía de la debilidad de Ana por aquella fruta.

Justo cuando Ana volvía del sótano, oyó unos pasos apresurados que avanzaban hacia la casa y, un instante después, la puerta de la cocina se abrió de par en par. Diana Barry entró, pálida y jadeante, con un chal enrollado de cualquier manera en la cabeza. Sorprendida, Ana dejó caer la vela y la bandeja que llevaba en las manos, de manera que todas las manzanas cayeron dando tumbos por la escalera del sótano.

—¿Qué pasa, Diana? —gritó Ana—. ¿Tu madre se ha dado al fin por vencida?

—Ana, por favor, ven rápido —imploró su amiga, nerviosa—. Minnie May está muy enferma, tiene difteria, o eso dice la joven Mary Joe. Mis padres se han marchado a la ciudad, así que no hay nadie que pueda ir a buscar al médico. Mi hermana está muy mal, y Mary Joe no sabe qué hacer... ¡Ana, tengo mucho miedo!

Sin decir ni una palabra, Matthew cogió su gorra y su abrigo y salió al jardín.

—Ha ido a preparar la yegua para ir a Carmody a buscar al médico —dijo Ana mientras se ponía la chaqueta—. Estoy tan segura como si lo hubiera dicho. Nos parecemos tanto que soy capaz de leer sus pensamientos sin necesidad de hablar.

—No creo que encuentre a los médicos en Carmody, todos se han ido a Charlottetown. La joven Mary Joe nunca ha visto a nadie con difteria, y la señora Lynde tampoco está.

—No llores, Diana —trató de calmarla Ana—. Yo sé qué hay que hacer con los enfermos de difteria. Te olvidas de que he cuidado a tantos niños que he visto de todo. Espera que coja el bote de ipecacuana, porque puede que en tu casa no haya. Ya está, vámonos.

Las dos niñas corrieron sobre la nieve hacia la granja de los Barry. Ana estaba muy preocupada por Minnie May, pero eso no le impedía disfrutar de la situación que Diana y ella estaban viviendo. Pensaba que era maravilloso correr agarrada de la mano de su amiga del alma bajo aquel cielo gélido y estrellado después de tanto tiempo de separación.

La hermana pequeña de Diana, que tenía tres años, estaba realmente enferma. Ana se la encontró tumbada en el sofá de la cocina, febril e inquieta, y su respiración era tan bronca que retumbaba por toda la casa. La joven Mary Joe, una francesa regordeta a la que la señora Barry había llamado para que se quedara con las niñas durante su ausencia, estaba totalmente paralizada, sin saber qué hacer ni cómo actuar.

Ana se puso manos a la obra de inmediato.

—En efecto, Minnie May tiene difteria. Está bastante mal, pero las he visto peores. Necesitamos mucha agua caliente, así que Diana, pon la tetera al fuego, por favor. Mary Joe, añade leña a la estufa. Voy a desvestir a Minnie May para llevarla a la cama. Intenta encontrar prendas de algodón suave, Diana. Antes que nada, voy a darle una dosis de ipecacuana.

A la pequeña no le gustó mucho el jarabe, pero Ana consiguió que se lo tomara no solo esa vez, sino muchas a lo largo de la noche eterna y complicada que las tres pasaron atendiendo a la pequeña Minnie May.

Cuando al fin Matthew llegó con un médico, eran ya las tres de la madrugada, porque el pobre había tenido que viajar hasta Spencervale con el carro para encontrarlo. Pero la necesidad de ayuda inmediata había pasado: Minnie May estaba mucho mejor y dormía profundamente.

—He estado a punto de dejarme vencer por la desesperación —explicó Ana—. No dejaba de empeorar, y ha llegado a estar más grave que cualquiera de los demás niños de los que me he hecho cargo. Le he dado hasta la última gota de jarabe de ese bote, y

cuando se ha tomado la última dosis, he pensado para mí y solo para mí, puesto que no quería preocupar a Diana y a Mary Joe más de lo que ya lo estaban, que era la última esperanza que nos quedaba y que tal vez fuera en vano... Pero al cabo de unos tres minutos consiguió por fin expulsar la flema al toser y entonces empezó a mejorar de inmediato. Tendrá que imaginarse mi alivio, doctor, porque algunas cosas no pueden expresarse con palabras; estoy segura de que sabe a lo que me refiero.

—Sí, lo sé —asintió el doctor, que miró a la niña como si pensara de ella cosas que tampoco podían expresarse con palabras.

Más tarde, sin embargo, sí se las expresó al señor y la señora Barry:

—Esa niña pelirroja que vive con los Cuthbert es tan lista como dicen. Le ha salvado la vida a su hija, porque cuando yo llegué ya habría sido demasiado tarde. Parece tener unas habilidades y una personalidad maravillosas para una muchacha de su edad.

Ana había vuelto a casa con Matthew, cansada porque no había dormido, pero sin parar de hablar.

—¡Vaya, Matthew, qué mañana tan bonita! Cómo me alegro de vivir en un mundo donde existe la escarcha, ¿tú no? Y, después de todo lo que ha pasado, al final también me alegro de haber tenido que cuidar tantos niños cuando era más pequeña. Si no, seguramente no habría sabido qué hacer con Minnie May. Uf, Matthew, qué sueño tengo. No puedo ir al colegio, porque sé que no sería capaz de mantener los ojos abiertos y que parecería tonta, pero odio tener que quedarme en casa, porque Gil... alguno de los otros niños será el mejor de la clase, y cuesta mucho volver a recuperar ese puesto. Aunque la verdad es que cuanto más hay que esforzarse para conseguir algo, más satisfecho te sientes cuando lo logras, ¿no crees?

—Bueno, seguro que te las apañas bien —dijo Matthew mirando la cara pálida de la niña y las sombras oscuras que tenía bajo los ojos—. Tú acuéstate y descansa, yo me encargaré del resto.

Así que Ana se acostó y no se despertó hasta bien entrada la tarde. Cuando bajó a la cocina, se encontró a Marilla, que ya había regresado a casa, tejiendo junto a la ventana.

—¡Marilla! ¿Has visto al primer ministro? —le preguntó de inmediato—. ¿Cómo es?

—Bueno, digamos que no ha llegado hasta donde está gracias a su aspecto —contestó la mujer—. Pero se le da muy bien dar discursos. Tienes la comida en el horno, Ana, porque supongo que tendrás hambre. Matthew me ha contado todo lo que pasó ayer por la noche. ¡Menos mal que tú sí sabías qué había que hacer! Yo no habría tenido ni idea de cómo actuar. Nunca he visto un caso de difteria. Pero bueno, ni se te ocurra hablar hasta que hayas comido. Con solo mirarte me doy cuenta de que tú también te mueres de ganas de soltar unos cuantos discursos, pero no te pasará nada por aguantártelos un rato.

Marilla tenía algo que decirle a Ana, pero esperó hasta que la niña hubo terminado de comer, porque sabía que, de lo contrario, la emoción la habría hecho olvidarse de su apetito.

—La señora Barry ha estado aquí hace un rato, Ana. Quería verte, pero yo he preferido no despertarte. Dice que le has salvado la vida a Minnie May y que lamenta mucho haberse comportado así con todo el asunto del licor de grosella. Dice que sabe que no emborrachaste a Diana a propósito y que espera que la perdones y que vuelvas a ser amiga de su hija. Si te apetece, puedes ir a ver a Diana más tarde. Está acatarrada y no puede salir de casa.

Ana se puso en pie de un salto con la cara iluminada de alegría.

—¡Oh, Marilla! ¿Puedo irme ya... sin fregar los platos? Lo haré cuando vuelva, pero soy incapaz de centrarme en algo tan poco romántico como fregar en este momento tan emocionante.

—Sí, sí, márchate corriendo —concedió Marilla—. Ana Shirley... ¿estás loca? Vuelve aquí enseguida y ponte el abrigo. ¡Es como hablar con las paredes! ¡Se ha marchado sin sombrero ni abrigo! Será casi un milagro si no se acatarra.

Ana volvió a casa bailando entre la nieve al anochecer.

—Tienes ante ti a una persona perfectamente feliz, Marilla —anunció—. Sí, soy muy feliz a pesar de tener el pelo rojo. La señora Barry me ha dado un beso, se ha disculpado llorando y me ha dicho que jamás podrá agradecerme lo suficiente lo que hice ayer por la noche. Me ha dado mucha vergüenza, Marilla, pero le he contestado con toda la educación que he podido: «No le guardo rencor, señora Barry. Le aseguro una vez más que no tuve ninguna intención de emborrachar a Diana, y que a partir de ahora cubriré el pasado con el manto del olvido». Y Diana y yo hemos pasado una tarde estupenda. Vamos a pedirle al señor Phillips que nos deje compartir pupitre otra vez. La señora Barry nos ha preparado una merienda elegante, ¡ha sacado su mejor juego de té, Marilla, como si yo fuera una visita importante! Debe de ser fantástico ser adulto, Marilla, porque el simple hecho de que te traten como si lo fueras es muy emocionante...

—Bueno, la verdad es que yo no estoy tan segura —suspiró la mujer.

—En cualquier caso, cuando sea mayor siempre trataré a las niñas pequeñas como si ellas también fueran adultas, y nunca me reiré de su forma de hablar —aseguró Ana muy convencida—. Sé, por experiencia, que es algo que hace mucho daño. Después de merendar, Diana y yo hemos hecho tofe. No nos ha quedado muy bien, porque se me ha olvidado removerlo y se ha quemado, pero nos hemos divertido muchísimo mientras lo preparábamos. Al despedirme para volver a casa, la señora Barry me ha dicho que vaya tan a menudo como quiera. Te prometo, Marilla, que esta noche sí me apetece rezar, y voy a inventarme una oración nueva para esta ocasión tan especial.

CAPÍTULO 2

UN CONCIERTO, UNA CATÁSTROFE Y UNA CONFESIÓN

—MARILLA, ¿PUEDO ACERCARME A VER A DIANA solo un minuto? —preguntó Ana una noche de febrero mientras bajaba de la buhardilla a toda prisa y casi sin aliento.

—No creo que se te haya perdido nada ahí fuera ahora que ya está oscuro —contestó Marilla con sequedad—. Diana y tú habéis vuelto juntas del colegio y luego os habéis quedado media hora más en el jardín charlando sin parar. No me parece que tengas ninguna necesidad de volver a verla.

—Pero es que tiene algo muy importante que decirme —suplicó Ana.

—¿Cómo lo sabes?

—Porque acaba de hacerme una señal desde su ventana. Nos comunicamos con nuestras velas y un

cartón: ponemos la vela sobre el alfeizar de la ventana y pasamos el cartón por delante para crear destellos. Cada número de destellos significa una cosa. Se me ocurrió a mí, Marilla.

—Claro, no podía ser de otra manera —comentó la mujer con ironía—. Seguro que terminas prendiéndole fuego a las cortinas con esa tontería de las señales.

—Tenemos mucho cuidado, Marilla. Dos destellos significan: «¿Estás ahí?». Tres quieren decir «sí» y cuatro, «no». Cinco significan: «Ven lo antes posible porque tengo que contarte algo importante». Diana acaba de enviarme cinco destellos, y sufro por saber qué está ocurriendo.

—De acuerdo, no es necesario que sigas sufriendo —dijo Marilla con un dejo de sarcasmo—. Puedes ir, pero debes estar de vuelta dentro de diez minutos, recuérdalo.

Ana volvió a la hora indicada a pesar de lo difícil que le resultó limitar a diez minutos la conversación generada por la información que le había proporcionado Diana.

—Marilla, ¿qué te parece? Ya sabes que mañana es el cumpleaños de Diana, así que su madre le ha dicho que podía invitarme a volver a casa con ella desde el colegio y pasar allí la noche. Sus primos van a venir en un trineo de caballos desde otro pueblo para ir al concierto que el club de debate celebra en el salón municipal mañana por la noche. Y, si me das permiso, nos llevarán también a Diana y a mí. Me dejarás, ¿verdad, Marilla? ¡Ay, qué emoción!

—Pues ya puedes calmarte, porque no vas a ir. Estarás mucho mejor en casa, durmiendo en tu propia cama, y en cuanto a ese concierto, a las niñas de tu edad no se les debería permitir asistir.

—¡Pero si es una celebración totalmente inocente! —protestó Ana.

—Lo sé, pero no vas a empezar a rondar ya por los conciertos y a quedarte por ahí hasta esas horas de la noche. Me sorprende que la señora Barry vaya a permitírselo a Diana.

—Es que es una ocasión muy especial —gimoteó Ana, a punto de echarse a llorar—. El cumpleaños de Diana es solo una vez al año. Por favor, Marilla, ¿puedo ir?

—Ya has oído lo que he dicho, Ana. Quítate las botas y vete a la cama. Es muy tarde.

—Solo una cosa más, Marilla —repuso Ana con cara de estar recurriendo a la última bala que le quedaba en la recámara—. La señora Barry le ha dicho a Diana que podríamos dormir en la cama de la habitación de invitados. Piensa en el gran honor que supondría que le preparen a tu pequeña Ana la habitación de invitados.

—Pues tendremos que pasar sin ese gran privile-

gio —replicó la mujer—. Vete a la cama, Ana, no quiero oír ni una palabra más.

Cuando la niña se marchó con las mejillas empapadas de lágrimas, Matthew, que supuestamente había estado dormido en el sofá durante todo aquel rato, abrió los ojos y dijo:

—Marilla, creo que deberías dejar ir a Ana.

—Pues yo no —le espetó ella—. ¿Quién está criando a la niña, Matthew, tú o yo?

—Tú —admitió su hermano.

—Entonces no te metas.

—No me estoy metiendo. Tener opinión propia no es inmiscuirse. Y mi opinión es que deberías dejar ir a Ana.

—Está claro que si Ana se empeñara en ir a la luna también opinarías que debería darle permiso para ir —fue la respuesta de Marilla—. Habría dejado que Ana fuera a pasar la noche a casa de Diana, pero ese plan del concierto no me gusta nada. Cogería frío y se le llenaría la cabeza de tonterías. Se pasaría una semana entera descontrolada. Entiendo mejor que tú el temperamento de la niña y lo que más le conviene, Matthew.

—Creo que deberías dejarla ir —insistió él con firmeza.

Marilla soltó un suspiro de impotencia y se refugió en el silencio.

A la mañana siguiente, mientras Ana fregaba los platos del desayuno, Matthew se detuvo ante Marilla cuando se dirigía hacia el granero para repetirle a su hermana:

—Creo que deberías dejar ir a Ana.

Durante un instante, Marilla pareció echar chispas por los ojos, pero después se rindió a lo inevitable y habló con aspereza:

—Muy bien, puede ir, ya que no hay otra manera de que te quedes a gusto.

Ana se secó las manos a toda prisa con un paño.

—¡Oh, Marilla, repítelo una vez más!

—No, con una vez es suficiente. Todo esto es asunto de Matthew, yo me lavo las manos. Si coges una neumonía, no me eches la culpa a mí, sino a él. Ana Shirley, estás llenando el suelo de agua sucia.

—Marilla, ya sé que te lo pongo muy difícil —dijo la muchacha en tono de disculpa—. Cometo muchos errores, pero piensa en todas las veces que no me equivoco y podría hacerlo. Lo limpiaré todo antes de irme al colegio. Marilla, me hacía mucha ilusión asistir a ese concierto; nunca he ido a uno y me siento fuera de lugar cuando las demás niñas hablan de ellos en la escuela. Tú no te has dado cuenta de cómo me sentía, pero Matthew sí. Matthew me comprende de verdad, y es una sensación maravillosa que alguien te entienda así.

Ana estaba demasiado emocionada como para prestar atención en clase aquella mañana. Gilbert Blythe se colocó por delante de ella tanto en ortografía como en cálculo mental, pero el resentimiento de la niña fue menor de lo que podría haberse esperado gracias a la emoción que le suscitaban la salida nocturna y dormir en la habitación de invitados de Diana.

Aquel día en el colegio no se habló de otra cosa que no fuera el concierto. Los jóvenes de Avonlea llevaban semanas ensayando y muchos de los compañeros de Ana tenían hermanos mayores que iban a participar. Todos los alumnos que tenían más de nueve años iban a ir, excepto Carrie Sloane, cuyo padre compartía las opiniones de Marilla respecto a la asistencia de niñas a los conciertos nocturnos. La pobre se pasó todo el día llorando.

Para Ana, la verdadera diversión comenzó cuando salieron del colegio, y a partir de ese momento no paró de aumentar hasta que estuvo a punto de alcanzar el éxtasis durante el concierto.

Al llegar a casa de Diana, tomaron otra «merienda elegante» y luego subieron a la pequeña habitación de la niña para arreglarse. La anfitriona peinó a su amiga a la última moda, y esta le ató a ella los lazos con un nudo especial.

Ana no pudo evitar sentir cierta envidia cuando comparó su sencillo abrigo de tela gris y mangas

ajustadas con la elegante chaqueta de Diana, a juego con un gorro de piel. Pero enseguida recordó que tenía imaginación y la aplicó.

Cuando llegaron los primos de Diana, se amontonaron todos juntos en el trineo y se taparon con mantas de piel. Ana disfrutó mucho de aquel paseo al anochecer.

—¡Oh, Diana! —exclamó apretando la mano enguantada de su amiga bajo la manta—, ¿no es como un sueño?

El programa del concierto de aquella noche fue una serie de «estremecimientos» cada vez mayores para al menos una de las asistentes. Solo uno de los números le pareció aburrido: cuando Gilbert Blythe subió al escenario para recitar un poema, Ana cogió un libro de la biblioteca y se puso a leerlo hasta que el chico terminó. Entonces se quedó sentada sin moverse mientras Diana aplaudía como si le fuera la vida en ello.

Eran las once cuando llegaron a casa. Al parecer todo el mundo estaba dormido y la oscuridad y el silencio reinaban en la entrada. Las niñas se dirigieron de puntillas hacia la habitación de invitados pasando por la salita, que estaba tenuemente iluminada por los rescoldos del fuego de la chimenea.

—Deberíamos cambiarnos aquí, se está muy calentito —propuso Diana.

—Me lo he pasado muy bien —dijo Ana con un suspiro—. Debe de ser maravilloso subir al escenario y recitar algo. ¿Crees que algún día nos pedirán que lo hagamos, Diana?

—Sí, claro que sí, algún día. Siempre se lo piden a los alumnos mayores. Gilbert Blythe solo tiene dos años más que nosotras y participa a menudo en estas cosas. ¿Cómo has podido fingir que no lo escuchabas? Se ha pasado todo el poema mirándote.

—Diana —la interrumpió Ana muy dignamente—, eres mi amiga del alma, pero ni siquiera a ti puedo permitirte que me hables de esa persona. ¿Estás lista? ¡Te hecho una carrera hasta la cama!

Las dos amigas echaron a correr hacia la habitación de invitados y saltaron sobre la cama al mismo tiempo. Y entonces... ¡algo se movió debajo de ellas! Se oyó un grito y una voz que exclamaba:

—¡Por Dios santo!

Ana y Diana no supieron cómo habían bajado de la cama y salido de la habitación, pero después de una carrera frenética se encontraron subiendo la escalera de puntillas y temblando.

—Madre mía, ¿qué ha sido eso? —preguntó Ana tiritando de frío y de miedo.

—Era mi tía Josephine —contestó Ana tratando de contener la risa—. No tengo ni idea de cómo habrá ido a parar a esa cama, pero era mi tía, y sé que se va

a enfadar mucho. Es terrible, Ana, pero al mismo tiempo... ¿no te parece divertido?

—¿Quién es tu tía Josephine? —quiso saber su amiga.

—Es la tía de mi padre y vive en Charlottetown. Es muy vieja, tiene por lo menos setenta años. Estábamos esperando que viniera a visitarnos, pero no tan pronto. Es muy estricta, y seguro que nos regaña un montón por lo que acaba de suceder. Al final tendremos que dormir con Minnie May, y no veas qué patadas pega.

A la mañana siguiente, la señorita Josephine Barry no desayunó con las niñas. La madre de Diana les preguntó con una sonrisa:

—¿Os lo pasasteis bien anoche? Intenté esperaros despierta para deciros que la tía Josephine estaba en la habitación de invitados, pero me quedé dormida. Espero que no molestarais a tu tía, Diana.

Las niñas guardaron un silencio discreto, pero intercambiaron sonrisas de complicidad a través de la mesa. Ana se marchó corriendo a casa después de desayunar, así que no se enteró del alboroto que se había formado en casa de los Barry hasta media tarde, cuando Marilla la envió a casa de la señora Lynde a hacer un recado.

—Así que ayer Diana y tú casi matáis a la pobre señorita Barry de un susto, ¿no? —dijo la señora Lynde en tono severo pero con un ligero brillo en los ojos—. La señora Barry ha pasado por aquí hace un rato y está muy preocupada. La anciana tía de su marido estaba de un humor terrible cuando se ha levantado esta mañana, ni siquiera le dirige la palabra a Diana.

—No fue culpa de Diana —aseguró Ana arrepentida—. Fui yo quien le propuse echar una carrera hasta la cama.

—¡Lo sabía! —exclamó la señora Lynde con satisfacción—. Sabía que esa idea tenía que haber salido de tu cabeza. Pues se ha montado un lío tremendo. La señorita Barry venía para quedarse un mes, pero dice que no aguanta ni un día más y que se va mañana mismo. Se había comprometido a pagar una parte de las clases de música de Diana, pero ahora se niega a hacerlo. Los Barry deben de estar destrozados, porque la anciana es rica y les conviene llevarse bien con ella. Aunque ellos no lo digan, yo me doy cuenta de esas cosas.

—Qué mala suerte tengo —se lamentó Ana—. No paro de meterme en líos y de arrastrar a mis mejores amigos conmigo. ¿Puede decirme por qué me ocurren estas cosas, señora Lynde?

—Porque eres demasiado imprudente e impulsiva, niña, por eso. Nunca te paras a pensar: haces o dices lo primero que se te pasa por la cabeza sin reflexionarlo ni un segundo.

—¡Pero si eso es lo mejor! —protestó la niña—. Algo emocionante se te pasa por la cabeza y tienes que hacerlo cuanto antes. Si te paras a darle vueltas, se fastidia la diversión.

—Tienes que aprender a pensar un poco, Ana.

Cuando salió de casa de la señora Lynde, Ana, que estaba preocupada por la situación, se dirigió hacia Ladera del Huerto. Diana la recibió en la puerta de la cocina.

—Tu tía Josephine se ha enfadado mucho, ¿verdad? —susurró Ana.

—Sí —contestó Diana tratando de aguantarse la risa—. ¡Menuda bronca me ha soltado! Me ha dicho que soy la niña que peor se porta del mundo, y que mis padres deberían estar avergonzados por cómo me han educado. Dice que no va a quedarse aquí ni un día más, y a mí me da igual, pero mis padres están disgustados.

—¿Por qué no les has dicho que fue culpa mía? —le preguntó Ana.

—Porque no soy ninguna chivata, Ana Shirley. Y además, yo tuve tanta culpa como tú.

—Pues entonces se lo diré yo misma —le espetó Ana, decidida.

—¡Ana Shirley! ¡Ni se te ocurra! ¡Te comerá viva!

—No me asustes más de lo que ya lo estoy —suplicó Ana—, pero debo hacerlo, Diana. Fue culpa mía y

tengo que confesarlo. Por suerte, ya tengo práctica en estas cosas.

—Bueno, está en el salón —indicó Diana—. Entra si quieres, aunque yo no lo haría. No creo que vayas a conseguir nada bueno.

Sin más, Ana se dirigió hacia la puerta del salón y la golpeó suavemente con los nudillos. Enseguida se oyó un brusco: «Entra».

La señorita Josephine Barry estaba tejiendo junto al fuego. La expresión de su cara enjuta transmitía una furia mal disimulada cuando se dio la vuelta esperando ver a Diana. Sin embargo, se encontró con una cría pálida cuya mirada mostraba valentía y terror al mismo tiempo.

—¿Quién eres tú? —le preguntó la anciana sin rodeos.

—Soy Ana de Las Tejas Verdes —contestó temblorosa. A continuación, juntó las manos en un gesto que ya se había convertido en típico de ella—. Y he venido a confesar.

—¿A confesar qué?

—Que fue culpa mía que ayer saltáramos sobre usted en la cama. Fui yo quien lo propuso, señorita Barry. A Diana jamás se le habría ocurrido hacer una cosa así. Sería muy injusto que la culpara a ella.

—¿Ah, sí? Pues yo diría que Diana es, como mínimo, responsable de su parte del salto.

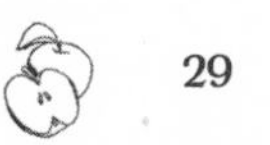

—Pero solo estábamos jugando —insistió Ana—. Creo que ahora que nos hemos disculpado, debería perdonarnos, señorita Barry. Al menos perdone a Diana, por favor, y ayúdela con sus clases de música. Si necesita estar enfadada con alguien, enfádese conmigo, estoy tan acostumbrada de cuando era más pequeña que lo soporto mucho mejor que Diana.

Gran parte de la rabia de la mujer parecía haberse esfumado de su rostro y dejado paso a una especie de curiosidad divertida. Aun así, dijo en tono severo:

—No creo que el hecho de que simplemente estuvierais jugando sirva de excusa. Las niñas no se entretenían de esa manera cuando yo era pequeña. ¡Que dos crías te despierten de ese modo después de un viaje tan largo!

—Estoy segura de que debió de llevarse un buen susto. Pero ¿se imagina cómo se habría sentido de haber estado en nuestro lugar? No teníamos ni idea de que hubiera alguien en aquella cama, así que también nos asustamos muchísimo. Y además, al final no pudimos dormir en la habitación de invitados. Supongo que usted está acostumbrada a ello, pero imagínese cómo se habría disgustado si hubiera sido una huérfana que nunca ha tenido ese privilegio.

Finalmente, el enfado de la señorita Barry desapareció y la anciana soltó una carcajada.

—Me temo que mi imaginación está un poco oxidada, puesto que hace mucho que no la utilizo —admitió—. Supongo que tienes razón: todo depende de la perspectiva desde la que se miren las cosas. Siéntate y háblame de ti.

—Lo siento mucho, pero no puedo —respondió Ana con firmeza—. Me encantaría, porque me parece una mujer interesante y puede que, a pesar de las apariencias, hasta tengamos cosas en común. Sin embargo, mi deber es volver a casa con la señorita Marilla Cuthbert. Es una mujer muy amable que me ha acogido para educarme como es debido. Está esforzándose mucho, pero es una tarea desalentadora. No debe culparla a ella por lo que ocurrió ayer. Pero antes de marcharme, me gustaría que me dijera si va a perdonar a Diana y a quedarse en Avonlea el tiempo que tenía planeado.

—Creo que, si tú vinieras de vez en cuando a hablar conmigo, podría hacerlo —contestó la mujer.

Aquella noche, la señorita Barry le regaló a Diana una pulsera de plata y les dijo a sus padres que había deshecho la maleta.

—He decidido quedarme solo para conocer mejor a esa niña, Ana —aseguró con franqueza—. Me divierte, y a mi edad eso no pasa a menudo.

La anciana se quedó más de un mes y fue una invitada más agradable que de costumbre, porque Ana la ponía de buen humor. Las dos se hicieron muy amigas.

Cuando la señorita Barry se marchó, le dijo a Ana:

—Recuerda, niña, que cuando vayas a la ciudad podrás visitarme y te alojaré en mi mejor habitación de invitados.

—La señorita Barry es una buena persona —le confió Ana aquella noche a Marilla—. Nadie lo diría nada más verla, igual que pasa con Matthew, pero al cabo de un rato te das cuenta. ¡Es maravilloso descubrir que las buenas personas no escasean tanto como pensaba!

CAPÍTULO 3

UNA BUENA IMAGINACIÓN MAL EMPLEADA

La primavera regresó una vez más a Las Tejas Verdes y abril y mayo se llenaron de días dulces y frescos.

—Me da mucha pena la gente que vive en países donde no hay flores de mayo —dijo Ana—. Diana dice que tal vez tengan cosas mejores, pero es imposible que exista algo mejor que las flores de mayo, ¿verdad, Marilla? También dice que, si no saben cómo son, no pueden echarlas de menos, pero a mí eso me parece más triste todavía. Creo que sería trágico no saber cómo son las flores de mayo y no echarlas de menos, Marilla. Hoy nos lo hemos pasado genial en el colegio, hemos comido en una hondonada llena de musgo junto a un pozo: un lugar muy romántico. Los chicos han jugado a los desafíos, que se han puesto de moda en el colegio. Ahora nadie se atrevería a decir que no a un reto. También han intentado regalarme unas flores de mayo, pero las he rechazado. No puedo decirte el nombre de quien me las ha ofrecido, porque he prometido no pronunciarlo jamás. Nos hemos hecho coronas con las flores de mayo y luego nos las hemos puesto en el sombrero. ¡Ha sido maravilloso, Marilla! Cuando volvíamos a casa, todo el mundo se nos quedaba mirando.

—¡No me extraña, vaya tonterías! —fue la respuesta de la mujer.

Después de las flores de mayo llegaron las violetas.

—Por algún motivo —le explicó Ana a Diana—, cuando paso por el Valle de las Violetas, me da igual que Gil... que cualquiera me supere en clase. Pero cuando estoy en el colegio, todo cambia y eso se convierte precisamente en lo que más me importa del mundo. Hay muchas Anas diferentes dentro de mí. A veces pienso que por eso soy una persona tan problemática. Si solo fuera una Ana, todo sería mucho más sencillo, aunque también la mitad de interesante.

Una tarde de junio, Ana estaba sentada junto a la ventana de su buhardilla. Había estado estudiando, pero ya no entraba luz suficiente para ver el libro, así que empezó a soñar despierta, con la mirada perdida más allá de las ramas de la Reina de las Nieves.

La pequeña habitación de la buhardilla seguía es-

tando prácticamente igual que cuando llegó. Sin embargo, el espíritu de aquel espacio había cambiado por completo: se había llenado de una personalidad nueva, vital y vibrante que no parecía tener mucho que ver con los libros del colegio, los vestidos y los lazos; ni siquiera con el jarrón lleno de flores que había en la mesa. Era como si todos los sueños de su ocupante hubieran tomado forma y hubieran invadido la habitación.

Marilla entró en aquel momento para subirle a Ana la ropa planchada. Aquel día, la mujer había sufrido un dolor de cabeza terrible, y aunque ya casi había desaparecido, se sentía débil y «agotada», según sus propias palabras. Ana la miró con simpatía:

—Ojalá hubiera tenido yo el dolor de cabeza en tu lugar, Marilla. Por ti, lo habría soportado de buen grado.

—Ya has hecho tu parte encargándote de las tareas y dejándome descansar —repuso ella—. Parece que se te han dado muy bien y has cometido menos errores que de costumbre. Aunque tampoco es que fuera necesario almidonar los pañuelos de Matthew ni poner a calentar la tarta en el horno hasta que se quemara. Pero está claro que tú haces las cosas a tu manera.

Después de padecer dolor de cabeza, Marilla siempre empleaba un tono bastante sarcástico.

—Lo siento mucho —se disculpó la muchacha—. Me olvidé por completo de la tarta. Esta mañana, cuando me dejaste a cargo de todo, me propuse con firmeza no imaginarme nada y concentrarme solo en los hechos. Se me dio bastante bien hasta que metí la tarta en el horno y sentí la irresistible tentación de imaginarme que era una princesa encerrada en una torre solitaria y que un apuesto caballero venía a rescatarme sobre un corcel negro. Por eso se me olvidó la tarta. Y ni siquiera sabía que había almidonado los pañuelos de Matthew. Mientras planchaba, trataba de dar con un nombre para una isla que Diana y yo hemos descubierto arroyo arriba. Lo siento. Hoy quería portarme muy bien porque es un día muy especial. ¿Recuerdas lo que pasó hace justo un año, Marilla?

—No, no se me ocurre nada.

—¡Vaya, Marilla! Fue el día en que llegué a Las Tejas Verdes. No lo olvidaré jamás, porque marcó un antes y un después en mi vida. Claro, para ti no es tan importante, pero yo ya llevo aquí un año y he sido muy feliz, aunque con altibajos, claro. ¿Te arrepientes de haberte quedado conmigo, Marilla?

—No, no me arrepiento —contestó la mujer, que a veces se preguntaba cómo había podido vivir antes de que Ana llegara a Las Tejas Verdes—. Si has acabado de estudiar, Ana, quiero que vayas a casa de la señora Barry a pedirle prestado un patrón de costura.

—Pero... ya está muy oscuro —protestó la niña.

—¿Muy oscuro? ¡Si apenas ha atardecido! Y no suele molestarte ir a casa de Diana aunque sea noche cerrada.

—Iré a primerísima hora de la mañana —suplicó Ana—. Me levantaré temprano y será lo primero que haga.

—Pero ¿por qué se te ha metido entre ceja y ceja no ir ahora, Ana Shirley? Necesito ese patrón para esta noche. Venga, vete ya y date prisa en volver.

—Tendré que ir por la carretera —dijo Ana tras ponerse en pie a regañadientes.

—¡Si vas por la carretera tardarás mucho más!

—No puedo ir por el Bosque Encantado, Marilla —respondió Ana desesperada.

La mujer la miró fijamente.

—¡El Bosque Encantado! ¿Te has vuelto loca? ¿Qué diantres es el Bosque Encantado?

—El bosque de abetos que hay al otro lado del arroyo.

—¡Bobadas! Los bosques encantados no existen. ¿Quién te ha dicho esa tontería?

—Nadie —confesó Ana—. Diana y yo nos imaginamos que el bosque estaba encantado. Por aquí todo es tan... normal y corriente que nos lo inventamos para entretenernos. Los bosques encantados son muy emocionantes, Marilla. ¡Nos hemos imaginado cosas horribles! Hay una dama vestida de blanco que pasea junto a la orilla más o menos a esta hora y da unos alaridos tremendos. Solo de pensarlo me dan escalofríos. También hay fantasmas, y un hombre decapitado, y esqueletos que brillan. No atravesaría el Bosque Encantado después del atardecer por nada del mundo.

—¡Nunca había oído nada igual! —exclamó Marilla, que no daba crédito a lo que acababa de escuchar—. Ana Shirley, ¿pretendes decirme que crees de verdad en todos esos disparates que te inventas?

—No exactamente... —titubeó Ana—. Al menos no de día. Pero de noche, Marilla, es distinto. Es cuando salen los fantasmas.

—Los fantasmas no existen, Ana.

—¡Claro que sí! —gritó la niña muy convencida—. Conozco a varias personas que los han visto, personas muy respetables. Charlie Sloane dice que una noche su abuela vio a su abuelo encerrando a las vacas en el establo cuando ya llevaba más de un año enterrado. Y ya sabes que la abuela de Charlie no se inventaría algo así, porque es una mujer muy religiosa. Y Ruby Gillis dice que...

—Ana Shirley —la interrumpió Marilla con determinación—, no quiero volver a oírte hablar así. Siempre he tenido mis dudas respecto a esa imaginación tuya, y si este va a ser el resultado, no consentiré más

tonterías. Vas a ir directa a casa de los Barry, y pasarás por ese bosque de abetos para que te sirva de lección y advertencia. ¡Y no quiero volver a oír una palabra más sobre bosques encantados!

Por más que Ana rogó y lloró, cosa que hizo, puesto que su miedo era muy real, Marilla no dio su brazo a torcer. Acompañó a la muchacha hasta el arroyo y le ordenó que cruzara el puente y se internara de inmediato en aquel oscuro refugio de damas blancas y señores decapitados.

—¿Cómo puedes ser tan cruel, Marilla? —sollozó la niña—. ¿Cómo te sentirías si una cosa blanca me atrapara y se me llevara?

—Correré el riesgo —contestó la mujer sin remordimiento alguno—. Ya sabes que siempre cumplo lo que digo, así que voy a quitarte esa manía tuya de imaginar fantasmas. Venga, vete.

Ana obedeció, es decir: cruzó el puente a trompicones y recorrió temblando el sendero sombrío que había al otro lado. Nunca olvidó aquel paseo, pues se arrepintió amargamente de haberle dado tantas alas a su imaginación. Corrió como si detrás de cada árbol la acechara una de sus criaturas imaginarias, como si la persiguiera un ejército de seres blancos. Llegó a la puerta de la cocina de la señora Barry tan jadeante que apenas pudo pedirle el patrón de costura. Diana había salido, así que no tuvo excusa para alargar su

visita: tenía que enfrentarse al viaje de vuelta. Lo hizo con los ojos cerrados, pues prefería arriesgarse a caerse de bruces entre las ramas que a ver a una dama blanca. Cuando por fin atravesó el puente de nuevo, exhaló un tembloroso suspiro de alivio.

—Veo que no te ha atrapado ninguna criatura —comentó Marilla con sarcasmo.

A Ana todavía le castañeteaban los dientes.

—Ay, Marilla —dijo la niña—. A partir de ahora me conformaré con los lugares normales y corrientes.

CAPÍTULO 4

UN CONDIMENTO NOVEDOSO

—Madre mía, en este mundo no hay más que encuentros y despedidas, como dice la señora Lynde —declaró Ana en tono lastimero cuando dejó su pizarra y sus libros sobre la mesa de la cocina el último día de junio. A continuación, se secó los ojos enrojecidos con un pañuelo ya muy húmedo—. Marilla, ha sido una suerte que hoy me llevara un pañuelo de más al colegio. Tenía el presentimiento de que lo necesitaría.

—No pensé que le tuvieras tanto cariño al señor Phillips como para llorar así por su marcha —comentó Marilla.

—En realidad no creo que haya llorado porque le tuviera mucho cariño —reflexionó la niña—, sino porque mis compañeros lo hacían. Creo que empezó

Ruby Gillis. Ruby Gillis siempre ha dicho que odiaba al señor Phillips, pero en cuanto el hombre se levantó para pronunciar su discurso de despedida, ella rompió a llorar. Luego la siguieron todas las demás niñas, una detrás de otra. Yo intenté contenerme, Marilla, traté de recordar la vez que el señor Phillips me hizo sentarme con Gil... con un chico, y cuando me dijo que era la peor de todo el colegio en geometría, y cuando se rio de mi ortografía; pero, por alguna razón, no fui capaz, así que yo también me eché a llorar. Oh, Marilla, se me partía el corazón. El señor Phillips ha dado un discurso de despedida precioso. Empezaba: «Ha llegado el momento de que nos separemos». Él también tenía los ojos llenos de lágrimas. Me arrepiento mucho de todas las veces que he hablado en clase y lo he dibujado en mi pizarra para reírme de él. Ojalá hubiera sido una buena alumna como Minnie Andrews, ahora ella no tiene mala conciencia. Todas hemos vuelto a casa llorando. Cada pocos minutos, Carrie Sloane repetía: «Ha llegado el momento de que nos separemos», y eso hacía que volviéramos a empezar cada vez que nos recuperábamos un poco. Estoy muy triste, Marilla, pero no es fácil dejarse arrastrar por la desesperación cuando se tienen dos meses de vacaciones por delante, ¿verdad? Además, nos hemos encontrado con el nuevo pastor y su esposa viniendo de la estación. Aunque me daba

mucha pena que el señor Phillips se marchara, no he podido evitar sentir curiosidad por el nuevo pastor. Su esposa es muy guapa, pero también discreta. La señora Lynde dice que la esposa del pastor de Newbridge da muy mal ejemplo, porque viste con demasiada elegancia. La de nuestro pastor llevaba un vestido de muselina azul con unas mangas abullonadas preciosas. Jane Andrews ha dicho que las mangas abullonadas eran demasiado frívolas para la esposa de un pastor, pero a mí no se me ocurriría hacer un comentario tan poco caritativo, porque yo sé lo que es sufrir por unas mangas abullonadas. Además, hace poco que se ha casado con el pastor, así que habría que darle un poco de manga ancha, ¿no crees? Van a alojarse en casa de la señora Lynde hasta que la de la parroquia esté lista.

Si aquella noche Marilla tuvo otro motivo para ir a casa de la señora Lynde que no fuera el de devolverle las agujas de tejer que su vecina le había prestado el invierno pasado, se trató de una debilidad compartida por la gran mayoría de los habitantes de Avonlea. Muchas cosas que la señora Lynde había prestado, a veces esperando no volver a verlas, regresaron a su hogar aquel día. Un pastor nuevo, y más si estaba casado, era un objeto de curiosidad legítimo en un pueblo donde las emociones eran escasas y distantes entre sí.

El viejo señor Bently, el pastor al que Ana decía que le faltaba imaginación, había pasado dieciocho años a cargo de la iglesia de Avonlea. Llegó viudo, y viudo había permanecido a pesar de que de vez en cuando los rumores lo casaban con esta o aquella. El anterior mes de febrero había presentado su dimisión y se había marchado entre los lamentos de sus feligreses, que le tenían cariño pese a sus carencias como orador. Desde entonces, Avonlea había disfrutado de los muchos y variados candidatos que acudían domingo tras domingo a predicar «a prueba». La decisión de si los suplentes se quedaban o se marchaban no dependía de ella, pero Ana, sentada en el extremo del banco de los Cuthbert, tenía sus opiniones al respecto y siempre las debatía con Matthew, pues Marilla se negaba por principio a criticar a los pastores.

—No creo que el señor Smith hubiera valido, Matthew —era la conclusión de Ana—. La señora Lynde dice que no le gustó su forma de hablar, pero yo creo que su peor defecto es el mismo que el del señor Bently: la falta de imaginación. Y el señor Terry tenía demasiada. El señor Gresham era un buen hombre, y muy religioso, pero contó demasiadas historias divertidas e hizo reír a la gente en la iglesia. El señor Marshall me pareció muy atractivo, pero la señora Lynde dice que no está casado ni prometido, y que tener un pastor soltero y guapo en Avonlea habría sido un problema. Me alegro de que hayan llamado al señor Allan. Me gustó, porque su sermón fue interesante y rezó como si le importara, no por costumbre. La señora Lynde dice que no es perfecto, pero que no podíamos esperar a alguien perfecto con lo que pagamos, y que conoce a la familia de su esposa y son personas de lo más respetable.

El nuevo pastor y su esposa eran una pareja joven y agradable, llenos de entusiasmo por la tarea que habían elegido. Avonlea los recibió con los brazos abiertos desde el principio. Ana se encariñó enseguida de la señora Allan: había descubierto otra buena persona.

—Me cae muy bien la señora Allan —anunció una tarde de domingo—. Se ha ocupado de nuestra catequesis y es una profesora maravillosa. Enseguida ha dicho que no consideraba justo que la profesora hiciera todas las preguntas, y ya sabes, Marilla, que eso es lo que siempre he pensado yo. Nos ha dicho que podíamos preguntar lo que quisiéramos, así que he aprovechado. Se me da bien hacer preguntas, Marilla.

—Te creo —repuso la mujer.

—Nadie más preguntó nada, salvo Ruby Gillis, que quería saber si este verano habría pícnic de catequesis. No me pareció una pregunta muy apropiada, pero la señora Allan sonrió y dijo que sí. Tiene una sonrisa

preciosa, se le forman unos hoyuelos encantadores en las mejillas. Ojalá a mí se me formaran hoyuelos, Marilla. Ya no estoy tan delgada como cuando llegué aquí, pero todavía no tengo hoyuelos. Si los tuviera, tal vez fuera capaz de influir a la gente para bien. La señora Allan dice que siempre deberíamos tratar de influir a la gente para bien. Jamás pensé que la religión fuera algo tan alegre. Hasta ahora pensaba que era bastante triste, pero la señora Allan no lo es, me gustaría ser cristiana si pudiera serlo como ella. No me gustaría ser cristiana como el superintendente Bell.

—Está muy mal que hables así del señor Bell —la reprendió Marilla con severidad—. El señor Bell es un buen hombre.

—Claro que sí —convino Ana—, pero no parece sentirse bien por ello. Si yo pudiera ser buena, me pasaría el día bailando y cantando, porque me alegraría por ello. Supongo que la señora Allan es demasiado mayor para bailar y cantar y que, además, eso no sería apropiado para la esposa de un pastor. Pero se nota que se alegra de ser cristiana, y que lo sería pasara lo que pasase.

—Supongo que deberíamos invitar al señor y a la señora Allan a tomar el té un día —pensó Marilla—. Han estado casi en todas partes menos aquí. Veamos... El próximo miércoles sería un buen día, pero no le digas nada a Matthew o se buscará una excusa

para no estar aquí cuando vengan. Le va a costar acostumbrarse a un pastor nuevo, y la esposa del pastor le dará un miedo tremendo.

—Guardaré muy bien el secreto —aseguró Ana—. Pero, Marilla, ¿me dejarás preparar una tarta para la ocasión? Me encantaría hacer algo por la señora Allan, y ya sabes que ahora las tartas ya no se me dan nada mal.

—De acuerdo, harás una —prometió Marilla.

Durante el lunes y el martes se realizaron muchos preparativos en Las Tejas Verdes. Que el pastor y su esposa fueran a tomar el té era un acontecimiento importante, y Marilla estaba decidida a que ninguna de las demás amas de casa de Avonlea le hiciera sombra. Ana estaba entusiasmada. Lo comentó todo con Diana el martes al atardecer, mientras jugaban junto a la Burbuja de Dríade.

—Ya está todo listo, Diana, menos mi tarta. La haré mañana por la mañana. Marilla y yo hemos tenido dos días muy ocupados, es una responsabilidad enorme invitar a la familia del pastor a tomar el té. Tiemblo solo de pensar en mi tarta. Ay, Diana, ¡espero que me salga bien!

—Te quedará perfecta —le aseguró su amiga, que siempre intentaba tranquilizarla—. La que preparaste hace un par de semanas para que nos la comiéramos en Idlewild estaba muy rica.

—Sí, pero las tartas tienen la mala costumbre de salirte mal justo cuando más deseas que te salgan bien —suspiró Ana—. En cualquier caso, supongo que tendré que confiar en que me saldrá bien y acordarme de poner la harina. ¿Crees que la dríade saldrá a respirar a la superficie cuando nos marchemos?

—Ya sabes que las dríades no existen —contestó Diana.

La señora Barry se había enterado del asunto del Bosque Encantado y se había enfadado muchísimo. Desde entonces, Diana no había vuelto a dejar volar su imaginación de ese modo, y se negaba a creer siquiera en unas criaturas tan inofensivas como las dríades.

—Pero es fácil imaginar que sí —insistió Ana—. Oh, Diana, ¡no abandones tu fe en la dríade!

Cuando llegó el miércoles por la mañana, Ana se despertó al amanecer, porque estaba demasiado emocionada para seguir durmiendo. Había cogido un buen resfriado la noche anterior sentada junto al arroyo, pero solo una neumonía podría haber disminuido su interés por la cocina aquella mañana. Después de desayunar, se puso a preparar la tarta, y cuando por fin la metió en el horno, exhaló un gran suspiro de alivio.

—Estoy segura de que esta vez no me he olvidado nada, Marilla, pero ¿crees que quedará bien? He cogido la levadura de un bote nuevo, y la señora Lynde

dice que hoy en día, como todo está adulterado, nunca se puede estar seguro de que la levadura sea buena. ¿Y si la tarta no sube?

—Tendríamos suficiente comida aunque así fuera —fue su desapasionada respuesta.

Pero la tarta sí subió, y salió del horno ligera y esponjosa. Ana se ruborizó de alegría, la rellenó de mermelada y se imaginó a la señora Allan comiéndosela y hasta pidiendo otro trozo.

—Supongo que utilizarás tu mejor juego de té, Marilla. ¿Puedo adornar la mesa con helechos y rosas silvestres? —preguntó.

—Todo eso son tonterías. Lo que importa es la comida, no la decoración —replicó Marilla.

—La señora Barry decoró su mesa —apuntó Ana, que era más lista que el hambre—, y el pastor la elogió por ello diciéndole que era un banquete tanto para los ojos como para el paladar.

—Bueno, haz lo que quieras —concedió Marilla, que estaba decidida a que ni siquiera la señora Barry la superara—, pero deja suficiente espacio para los platos y la comida.

Ana convirtió la mesa del té en un espectáculo tan hermoso que cuando el pastor y su esposa se sentaron a ella exclamaron al unísono lo preciosa que había quedado.

—Es obra de Ana —señaló Marilla muy seria, y la

sonrisa de aprobación que le dedicó la señora Allan fue casi demasiado para la niña.

Matthew también estaba presente. Solo Dios y Ana sabían cómo lo habían engatusado para asistir. Se había puesto tan nervioso que Marilla, desesperada, lo había dejado por imposible, pero Ana había conseguido que se sentara a la mesa con su mejor traje y hablara casi animadamente con el pastor. No le dirigió la palabra a la señora Allan, pero quizá tampoco había que pedirle peras al olmo.

Todo fue a la perfección hasta que sacaron la tarta de Ana. La señora Allan, que ya había comido bastante, la rechazó, pero Marilla, al ver la cara de decepción de la niña, insistió con una sonrisa:

—Vaya, señora Allan, tiene que probarla. Ana la ha hecho pensando en usted.

—En ese caso, no hay más remedio —contestó la mujer entre risas, y se sirvió un trozo, al igual que el pastor y Marilla.

La señora Allan se llevó un bocado a la boca y una expresión de lo más peculiar le invadió el rostro. No dijo ni una palabra, pero Marilla se percató de lo ocurrido y se apresuró a probar la tarta.

—¡Ana Shirley! —exclamó—, ¿qué le has puesto a esta tarta?

—Lo que decía la receta —contestó la niña angustiada—. ¿No está buena?

—¿Buena? ¡Es horrible! Señor Allan, no intente comérsela. Ana, pruébala tú. ¿Qué especia has usado exactamente?

—Vainilla —contestó Ana con la cara colorada por la vergüenza después de probar la tarta—. Solo vainilla. Marilla, debe de haber sido la levadura, ya sospechaba yo que...

—¡Esto no tiene nada que ver con la levadura! Tráeme el bote de vainilla que has usado.

Ana obedeció y regresó de la despensa con un frasco pequeño que contenía un líquido marrón. La etiqueta decía «LA MEJOR VAINILLA».

Marilla la abrió y la olió.

—Madre mía, Ana, le has echado al pastel un bálsamo relajante. La semana pasada se me rompió el frasco y vertí lo que quedaba en un bote de vainilla vacío. Supongo que en parte es culpa mía, debería haberte avisado, pero ¿no se te ocurrió olerla?

La niña rompió a llorar.

—¡No podía! ¡Tengo mucho catarro y estoy congestionada!

Y sin más, subió corriendo a la buhardilla, donde se lanzó sobre su cama a llorar sin consuelo.

Poco después, oyó unos pasos ligeros en la escalera y alguien entró en la habitación.

—¡Ay, Marilla! —sollozó Ana sin levantar la vista—. Esto me perseguirá para siempre. Se enterará

todo el mundo, porque en Avonlea siempre termina sabiéndose todo. Diana me preguntará cómo ha quedado mi pastel y tendré que decirle la verdad. Todos me conocerán como la niña que preparó un pastel con bálsamo relajante. Gil... los chicos del colegio no pararán de reírse de mí. Marilla, si tienes corazón no me digas que tengo que bajar a fregar los platos ahora. Los lavaré cuando el pastor y su esposa se hayan marchado, pero no puedo volver a mirar a la señora Allan a la cara. A lo mejor piensa que he querido envenenarla, pero el bálsamo no es venenoso. ¿Se lo aclararás a la señora Allan, Marilla?

—¿Y si te das la vuelta y se lo explicas tú misma? —dijo una voz alegre.

Ana se levantó de un salto para ver a la señora Allan de pie junto a su cama, mirándola con ojos risueños.

—Mi querida niña, no debes llorar así —continuó la mujer, preocupada al ver el rostro compungido de Ana—. No es más que un fallo que cualquiera podría haber cometido. Incluso resulta gracioso.

—Qué va, solo yo podría haberme equivocado de esa manera. Y tenía tantas ganas de que le gustara mi tarta...

—Lo sé. Y te aseguro que aprecio tu amabilidad y dedicación tanto como si te hubiera quedado perfecta. Venga, no llores más. Baja y enséñame tu jardín.

La señorita Cuthbert me ha dicho que tienes un rincón solo para ti. Quiero verlo, porque me interesan mucho las flores.

No volvió a mencionarse el bálsamo relajante, y cuando los invitados se marcharon, Ana se dio cuenta de que había disfrutado de la tarde más de lo esperado, teniendo en cuenta el desafortunado incidente. Aun así, exhaló un suspiro profundo:

—Marilla, ¿no crees que es agradable pensar que mañana será un nuevo día en el que aún no se han cometido errores?

—Seguro que tú lo llenas enseguida —contestó la mujer—. Nunca había conocido a nadie con la misma facilidad que tú para meter la pata.

—Sí, ya lo sé —reconoció la muchacha en tono lastimero—. Pero ¿te has fijado alguna vez en una de mis virtudes? Nunca cometo el mismo error dos veces.

—No sé si es una gran ventaja, porque no paras de inventar fallos nuevos.

—¿No lo entiendes, Marilla? Debe de haber un límite para el número de errores que puede cometer una persona, así que cuando llegue al último, ya no podré fallar más. Es una idea que me reconforta.

—Bueno, será mejor que vayas a darle esa tarta a los cerdos, porque no hay humano que se la coma, ni siquiera Jerry Boute.

CAPÍTULO 5

INVITAN A ANA A TOMAR EL TÉ

—¿Y AHORA POR QUÉ TRAES ESA CARA? —PREGUNTÓ Marilla cuando Ana volvió corriendo de la oficina de correos.

A la niña le brillaban los ojos de emoción, había hecho el camino de regreso a casa bailando.

—¡Ay, Marilla, no te lo vas a creer! Me han invitado a tomar el té en la casa parroquial mañana por la tarde. La señora Allan ha dejado la carta para mí en la oficina de correos. Mírala, Marilla: «SEÑORITA ANA SHIRLEY, LAS TEJAS VERDES». ¡Es la primera vez que me llaman señorita! La guardaré para siempre entre mis tesoros más valiosos.

—La señora Allan me dijo que tenía pensado invitar a merendar a todos sus alumnos de catequesis, uno por uno —comentó Marilla sin darle mayor im-

portancia al asunto—. No es necesario que te entusiasmes tanto por algo así, tienes que aprender a tomarte las cosas con calma.

Que Ana se tomara las cosas con calma habría significado cambiar su naturaleza, pues experimentaba tanto los placeres como las penas de la vida con gran intensidad. Marilla se daba cuenta de ello y se preocupaba, pues pensaba que los altibajos de la vida supondrían una gran carga para un espíritu tan impulsivo. Por lo tanto, consideraba que su deber era conducir a Ana hacia una uniformidad y tranquilidad totalmente ajenas a la niña. Sin embargo, reconocía la mujer con cierta pena, no estaba haciendo grandes progresos.

Aquella noche, Ana se acostó triste porque Matthew le había dicho que creía que al día siguiente llovería. La noche se le hizo eterna, pero todo llega a su fin, incluso las noches previas al día en que te han invitado a tomar el té en casa del pastor. A pesar de las predicciones de Matthew, la mañana amaneció soleada y Ana se animó de inmediato.

—Vaya, Marilla, hoy tengo algo dentro que me hace querer a todo el que veo —exclamó mientras fregaba los platos del desayuno—. ¡No sabes lo bien que me siento! ¿No sería maravilloso que esta sensación me durara? Creo que, si me invitaran a tomar el té todos los días, podría ser una niña modélica. Pero

también estoy muy nerviosa. ¿Y si no me comporto bien? Ya sabes que nunca he merendado en una casa parroquial, así que no estoy segura de conocer todas las normas de etiqueta. Me da mucho miedo olvidarme de hacer algo o decir alguna estupidez. ¿Sería de buena educación repetir algún plato si realmente me apeteciera mucho?

—Tu problema, Ana, es que piensas demasiado en ti misma. Deberías pensar en la señora Allan y en lo que le resultaría más agradable a ella —le aconsejó Marilla.

Ana se dio cuenta enseguida de que tenía razón.

—Es verdad. Intentaré no pensar para nada en mí misma.

Ana superó su visita sin ningún problema grave de «etiqueta» y regresó a casa, encantada y feliz, para contárselo todo a Marilla tras recostar la cabeza en el regazo de la mujer.

—Oh, Marilla, ha sido fascinante. Ahora siento que no he desperdiciado mi vida, y seguiré sintiéndome así aunque nunca vuelvan a invitarme a tomar el té en una casa parroquial. Cuando llegué, me recibió la señora Allan. Llevaba un vestido de organdí rosa precioso, parecía un ángel. Creo que cuando sea mayor me gustaría ser la esposa de un pastor. Los pastores no piensan en las cosas terrenales, así que no le importaría que sea pelirroja. Pero para casarse

con un pastor hay que ser buena por naturaleza, y yo nunca podré serlo, así que supongo que no tiene sentido pensarlo. La señora Lynde dice que mi maldad es de nacimiento, así que por mucho que me esfuerce, jamás podré ser tan buena como los que lo son por naturaleza. En realidad es lo mismo que me ocurre con la geometría. Pero ¿no crees que intentarlo con tanto empeño debería contar para algo? La señora Allan es una de esas personas buenas por naturaleza. La quiero con locura. Hay personas, como la señora Allan y Matthew, a las que se puede querer desde el principio sin ningún problema. Y hay otras, como la señora Lynde, que te obligan a esforzarte mucho para quererlas. Había otra niña tomando el té en la casa parroquial, de la catequesis de White Sands. Se llamaba Lauretta Bradley y era muy agradable. Después de la merienda, la señora Allan ha tocado y cantado y nos ha pedido a las dos que la acompañáramos. La señora Allan dice que canto bien y que tengo que participar en el coro de catequesis. ¡No sabes la ilusión que me ha hecho! Tenía muchas ganas de cantar en el coro, como Diana, pero creía que era un honor al que no podía aspirar. Lauretta ha tenido que irse pronto porque hay un concierto importante en el Hotel White Sands y su hermana actuaba en él. Dice que los estadounidenses del hotel celebran un concierto benéfico cada quince días y que espera que pronto la inviten a participar. Me ha dejado perpleja. Cuando se ha marchado, la señora Allan y yo hemos hablado con el corazón en la mano. Le he contado todo, lo de la señora Thomas y los gemelos, lo de Katie Maurice y Violetta, lo de venir a vivir a Las Tejas Verdes y la geometría... ¿Y sabes qué, Marilla? La señora Allan me ha dicho que a ella también se le daba fatal la geometría. La señora Lynde ha llegado a la casa parroquial justo antes de que me fuera. Ha dicho que ya han contratado a un profesor nuevo para la escuela, y es una mujer. Se llama señorita Muriel Stacy, ¿a que es un nombre romántico? La señora Lynde dice que nunca ha habido una maestra en Avonlea y que es una innovación peligrosa, pero yo creo que será fantástico. Estoy tan impaciente por conocerla que no sé cómo voy a sobrevivir a las dos semanas que quedan para que empiece el colegio.

CAPÍTULO 6

ANA SUFRE POR UNA CUESTIÓN DE HONOR

RESULTÓ QUE ANA TUVO QUE SOBREVIVIR A MÁS de dos semanas sin colegio. Había pasado casi un mes desde el episodio del bálsamo relajante, así que ya era hora de que se metiera en algún lío nuevo, puesto que los despistes pequeños, como meter la comida de los cerdos en la despensa en lugar de en el establo, apenas merecía la pena contarlos.

Una semana después de la merienda en la casa parroquial, Diana Barry dio una fiesta.

—Una celebración pequeña y selecta —le aseguró Ana a Marilla—. Solo para las niñas de nuestra clase.

Se lo pasaron muy bien, y no sucedió nada inconveniente hasta después de la merienda, cuando salieron al jardín ya algo cansadas de jugar y listas para entregarse a cualquier travesura que pudiera ocurrírseles. Finalmente, se decidieron por los «desafíos», que en aquellos momentos era el juego de moda entre los más jóvenes de Avonlea. Había comenzado entre los niños, pero no había tardado en extenderse a las chicas, así que podría haberse escrito un libro entero con todas las estupideces que se hicieron aquel verano en el pueblo solo porque alguien había retado a otra persona.

Primero, Carrie Sloane desafió a Ruby Gillis a trepar al viejo sauce que había junto a la puerta principal, y Ruby, pese al miedo que le daban las orugas verdes que lo infestaban y la reacción de su madre si rompía el vestido nuevo que se había puesto, lo consiguió. Luego Josie Pye retó a Jane Andrews a recorrer el jardín a la pata coja y, aunque la muchacha lo intentó, tuvo que reconocer su derrota cuando apenas le faltaban unos metros para lograrlo.

Josie celebró su victoria más de lo que el buen gusto recomendaba, así que Ana Shirley la desafió a caminar por encima de la valla de madera que cercaba el jardín por un lado. Josie superó el reto con una despreocupación que parecía querer decir que una minucia como aquella no merecía un reto. La muchacha bajó de la valla con una expresión de triunfo en la cara y le lanzó una mirada desafiante a Ana.

—No creo que sea para tanto —dijo esta acaricián-

dose las trenzas rojas—. En Marysville conocí a una chica que era capaz de caminar por el caballete, la línea horizontal más alta del tejado.

—No me lo creo —le espetó Josie—. No creo que nadie pueda caminar por el caballete del tejado. Tú, desde luego, no eres capaz.

—¿Como que no? —gritó Ana enseguida.

—Pues te desafío a hacerlo —la retó Josie—. Te reto a subir ahí arriba y caminar por el caballete del tejado de la señora Barry.

Ana se puso pálida, pero estaba claro que solo podía hacer una cosa. Se encaminó hacia la casa, contra la que se apoyaba una escalera de mano. Todas las niñas de quinto exclamaron «¡Oh!», en parte emocionadas y en parte preocupadas.

—No subas, Ana —suplicó Diana—. Te caerás y te harás daño. No escuches a Josie Pye, es injusto desafiar a alguien a hacer algo tan peligroso.

—Debo aceptar el reto, mi honor está en juego —contestó Ana muy solemnemente—. Recorreré esa viga, Diana, o moriré en el intento.

Ana subió por la escalera en medio de un silencio sepulcral, llegó hasta el caballete, se equilibró en aquel punto de apoyo tan estrecho y comenzó a caminar por ella. Ana era muy consciente de la altura a la que se hallaba y de que tener tanta imaginación no le resultaba precisamente de gran ayuda a la hora de

caminar por un tejado. Aun así, se las ingenió para dar varios pasos antes de que se produjera la catástrofe. Entonces perdió el equilibrio, se tambaleó y cayó dando tumbos por el tejado hasta aterrizar entre las enredaderas que había debajo, y todo ello antes de que sus amigas pudieran emitir siquiera un simultáneo grito de terror.

Por suerte, Ana no cayó por el mismo lado por el que había trepado, sino por el contrario, donde el tejado se prolongaba por encima del porche hasta tan cerca del suelo que la caída resultó mucho menos grave. No obstante, cuando Diana y las demás llegaron corriendo desde el otro lado de la casa, se encontraron a Ana en el suelo, pálida y desmadejada, entre los restos destrozados de la enredadera.

—Ana, ¿estás bien? —gritó Diana arrodillándose junto a su amiga—. ¡Ay, Ana! Por favor, habla y dime que estás bien.

Para gran alivio de todas las niñas, especialmente de Josie Pye, quien, a pesar de su falta de imaginación, se veía acechada por visiones de un futuro en el que se la conocía como la chica que había causado la trágica y temprana muerte de Ana Shirley, Ana se incorporó y contestó titubeante:

—Estoy bien, Diana, pero no me siento el cuerpo.

—¿Pero qué es lo que no sientes? —sollozó Carrie Sloane.

Antes de que la muchacha pudiera contestar, la señora Barry apareció en escena. Al verla, Ana intentó ponerse en pie, pero volvió a dejarse caer con un grito de dolor.

—¿Qué ha pasado? ¿Dónde te has hecho daño? —quiso saber la señora Barry.

—En el tobillo —contestó Ana sin aliento—. Diana, por favor, ve a buscar a tu padre y pídele que me lleve a casa. No podré llegar caminando yo sola.

Marilla estaba en el huerto recogiendo manzanas cuando vio al señor Barry atravesar el puente con la señora Barry a su lado y una procesión de niñas tras ellos. Llevaba en brazos a Ana, cuya cabeza descansaba, lánguida, sobre el pecho del hombre.

En ese momento, Marilla tuvo una revelación. El repentino aguijonazo de miedo que le atravesó el corazón le descubrió lo que Ana había llegado a significar para ella. Hasta entonces habría admitido que le tenía mucho cariño, pero mientras bajaba la colina a toda velocidad, Marilla supo que Ana era lo que más quería en el mundo.

—Señor Barry, ¿qué le ha ocurrido? —preguntó más pálida y turbada de lo que la sensata Marilla lo había estado en años.

La propia Ana contestó levantando la cabeza.

—No te asustes, Marilla. Estaba caminando por el tejado y me he caído. Creo que me he torcido el tobillo, pero mirémoslo por el lado bueno: podría haberme partido el cuello.

—Tendría que haberme imaginado que harías algo así cuando te dejé ir a esa fiesta —gruñó Marilla de puro alivio—. Métala dentro, señor Barry, y déjela en el sofá. ¡Ay, madre, si ahora se ha desmayado!

Era cierto. Superada por el dolor, a Ana se le había concedido otro de sus deseos y había perdido el conocimiento.

Matthew volvió de inmediato del campo y se fue a buscar al médico, que después de examinarla les comunicó que la lesión era más grave de lo que pensaban: Ana se había roto el tobillo.

Aquella noche, cuando Marilla subió a la buhardilla donde descansaba la niña, una voz lastimera la saludó desde la cama:

—¿No te doy mucha pena, Marilla?

—Ha sido culpa tuya —contestó ella antes de cerrar los postigos y encender una lámpara.

—Y precisamente por eso debería darte pena —insistió Ana—, porque saber que es culpa mía es lo que lo hace tan difícil. Si pudiera culpar a otra persona, me sentiría mucho mejor. Pero ¿qué habrías hecho tú si te hubieran desafiado a caminar por el caballete de un tejado?

—Me habría quedado en tierra firme y no habría hecho ni caso del reto. ¡Menuda estupidez!

Ana suspiró.

—Es que tú tienes mucha fortaleza mental, Marilla, y yo no. No habría podido soportar las burlas de Josie Pye. Y creo que ya he recibido suficiente castigo por ello. No deberías enfadarte mucho conmigo, Marilla. Además, al final resulta que desmayarse no es nada agradable. Y el médico me ha hecho mucho daño al colocarme el tobillo. Voy a pasarme seis o siete semanas sin poder caminar y me perderé la llegada de la nueva maestra. Ya no será nueva cuando yo pueda ir al colegio. Y Gil... y todo el mundo me superará en clase. Oh, soy una mortal muy desgraciada, pero intentaré soportarlo con valentía si no te enfadas conmigo, Marilla.

—Vale, vale, no estoy enfadada —la tranquilizó la mujer—. Eres una niña desafortunada, de eso no hay duda... Pero, como tú misma dices, vas a pagar por ello. Venga, intenta cenar un poco.

—¿No es una suerte que tenga tanta imaginación? —comentó Ana—. Seguro que me ayuda a pasar mejor este percance. ¿Qué crees que hace la gente que no tiene imaginación cuando se parte los huesos, Marilla?

Ana tuvo buenos motivos para dar gracias por su imaginación en muchas ocasiones a lo largo de las tediosas siete semanas que siguieron. Pero por suerte tuvo muchas visitas y no pasó ni un solo día sin

que una o varias de sus compañeras del colegio pasaran a llevarle flores o libros y a contarle lo que ocurría entre los jóvenes de Avonlea.

—Qué bien se han portado todos conmigo, Marilla —suspiró Ana con alegría el primer día que pudo apoyar el pie en el suelo—. No es muy agradable estar en cama, pero tiene un lado bueno: descubres cuántos amigos tienes. ¡Ha venido a verme hasta el superintendente Bell! Es un buen hombre, y lamento mucho haber criticado sus oraciones. Me contó que él también se rompió un tobillo de pequeño. Es muy extraño pensar que el señor Bell también fue un niño. Incluso mi imaginación tiene sus límites, porque no soy capaz de representármelo. Cuando lo intento, lo veo con su bigote gris y sus gafas, con el mismo aspecto que tiene los domingos en catequesis, pero más bajito. Es mucho más fácil imaginarse a la señora Allan de pequeña. ¡Ha venido a visitarme catorce veces! ¿No es algo de lo que sentirse orgullosa, Marilla? Además, nunca me decía que todo esto es culpa mía y que esperaba que fuera una niña mejor gracias a ello. La señora Lynde me lo repetía cada vez que venía. Hasta Josie Pye ha venido a visitarme. La recibí tan educadamente como pude, porque creo que estaba arrepentida de haberme desafiado a caminar por el caballete de un tejado. Diana ha sido una amiga leal, ha venido todos los días a animarme.

¡Qué ganas tengo de poder ir al colegio, porque he oído cosas de lo más emocionantes sobre la nueva profesora! Todas las niñas piensan que es un encanto; Diana dice que tiene un pelo y unos ojos preciosos, y que sus mangas son más abullonadas que las de cualquier otra persona de Avonlea. Organiza recitales cada dos viernes, y todo el mundo tiene que recitar un poema o participar en un diálogo. ¡Es maravilloso! Y los viernes que no tienen recital, la señorita Stacy los lleva a todos al bosque para hacer trabajo de campo y estudian las plantas, las flores y los pájaros. Además, todas las mañanas y todas las tardes hacen ejercicios de educación física. La señora Lynde dice que nunca había oído nada igual y que esto nos pasa por tener a una mujer enseñando, pero yo creo que la señorita Stacy me va a caer muy bien.

—Una cosa está clara, Ana —dijo Marilla—: que tu caída del tejado de la señora Barry no te ha causado ningún daño en la lengua.

CAPÍTULO 7

LA SEÑORITA STACY Y SUS ALUMNOS ORGANIZAN UN CONCIERTO

VOLVÍA A SER OCTUBRE CUANDO ANA ESTUVO PREparada para regresar al colegio. Era fantástico ocupar una vez más el pequeño pupitre marrón junto a Diana. Ana exhaló un largo suspiro de alegría mientras afilaba el lápiz y guardaba sus cosas dentro del escritorio.

En la nueva maestra encontró otra amiga verdadera y provechosa. La señorita Stacy era una joven brillante y comprensiva, con las maravillosas virtudes de ganarse y conservar con facilidad el cariño de sus alumnos y de sacar lo mejor de cada uno de ellos en todos los aspectos. Ana floreció bajo su influencia positiva y volvía a casa con relatos magníficos sobre las tareas que llevaban a cabo en clase.

—Adoro a la señorita Stacy, Marilla, tiene una voz

tan dulce... Esta tarde hemos tenido recital, y ojalá hubieras estado allí para escuchar mi poema, lo he recitado con toda la intensidad de mi corazón.

—Bueno, a lo mejor podrías recitármelo a mí un día de estos en el granero —sugirió Matthew.

—Claro que sí —contestó Ana pensativa—, pero no me saldrá tan bien, estoy segura. No será tan emocionante como cuando tienes delante a todo un colegio pendiente de tus palabras.

—La señora Lynde dice que el viernes pasado se quedó de piedra al ver a los chicos trepar a lo más alto de unos árboles enormes en busca de nidos de cuervo —intervino Marilla—. No entiendo que la señorita Stacy los anime a hacerlo.

—Necesitábamos los nidos de cuervo para la clase de ciencias naturales —explicó Ana—. Era nuestra tarde de trabajo de campo, Marilla. Son fantásticas, y la señorita Stacy lo explica todo muy bien. Tenemos que escribir redacciones sobre nuestras tardes de trabajo de campo, y las mías son las mejores.

—Es muy vanidoso por tu parte asegurar algo así, Ana. Deberías dejar que sea tu profesora quien lo diga.

—Es que ya lo ha dicho, Marilla. Y no presumo de ello, ¿cómo voy a presumir de nada cuando se me da tan mal la geometría? Aunque la verdad es que también estoy empezando a entenderla, porque la señorita Stacy lo hace todo muy sencillo. Aun así, nunca se

me dará bien, así que debo ser humilde. Pero me encanta escribir redacciones. Normalmente, la señorita Stacy nos deja elegir el tema, pero la semana que viene debemos escribir una sobre una persona extraordinaria. Es difícil elegir entre todas las personas notables de la historia. Debe de ser magnífico ser una de ellas y que escriban redacciones sobre ti cuando te mueras. A mí me encantaría. Creo que cuando sea mayor trabajaré de enfermera y me iré con la Cruz Roja al campo de batalla. Bueno, solo si no me marcho al extranjero a trabajar de misionera. Sería muy romántico, pero hay que ser muy buena persona para ser misionera, así que lo tengo difícil. También hacemos educación física todos los días, los ejercicios nos vuelven más ágiles y facilitan la digestión.

—¡Tonterías! —exclamó Marilla, que estaba sinceramente convencida de que todo aquello eran sinsentidos.

Pero las tardes de trabajo de campo, los recitales y la educación física quedaron eclipsados por el proyecto que la señorita Stacy propuso en noviembre: los alumnos de la escuela de Avonlea tendrían que organizar un concierto y celebrarlo en el salón municipal la noche de Navidad. El dinero que recaudaran se emplearía en comprar una bandera para el colegio. Todos los alumnos se entusiasmaron de inmediato con la idea y enseguida empezaron a prepa-

rar el programa de la actuación; de todos los participantes seleccionados, la más emocionada era Ana Shirley, que se entregó en cuerpo y alma a la tarea a pesar de que Marilla no estaba de acuerdo con ella.

—No hace más que llenaros la cabeza de bobadas y perder un tiempo que debería dedicarse a las clases —gruñía.

—Pero piensa en lo que se quiere conseguir, Marilla —suplicaba Ana—. Una bandera fomentará el patriotismo.

—¡Ya! Como si alguno de vosotros estuviera pensando en el patriotismo, lo único que queréis es pasároslo bien.

—Bueno, es que podemos hacer las dos cosas a la vez, ¿no crees? Claro que nos divertimos organizando el concierto; habrá seis coros y Diana cantará un solo. Yo recitaré dos poemas y participo en dos diálogos, Marilla. En uno de ellos hago de hada madrina. Me echo a temblar cada vez que pienso en ello, pero es un temblor agradable. Voy a ensayar en el desván. No te asustes si me oyes gemir: tengo que hacerlo en uno de mis poemas y es muy difícil interpretarlo de una manera artística. Vamos a decorar el salón municipal con ramas de pícea y abeto y rosas de papel de seda. Ay, Marilla, ya sé que a ti no te hace tanta ilusión como a mí, pero ¿no tienes la esperanza de que tu pequeña Ana destaque?

—Mi única esperanza es que te comportes como es debido. Me alegraré de corazón cuando se termine este barullo y te tranquilices. Con todas esas historias en la cabeza, ahora mismo no vales para nada. Y en cuanto a tu lengua, es un milagro que no se te haya desgastado.

Ana suspiró y salió al patio de atrás, donde Matthew estaba cortando leña. La niña se colocó a su lado y charló con él sobre la actuación, pues sabía que en él encontraría un oyente comprensivo.

—Tengo la sensación de que va a ser un buen concierto, y espero que se te dé bien tu papel —le dijo Matthew con una sonrisa.

Ana le devolvió el gesto. Eran muy amigos, y Matthew no paraba de dar gracias al cielo por no tener nada que ver con la educación de la niña. Ese deber recaía exclusivamente sobre su hermana, así que él podía dedicarse a «malcriar» a Ana, según palabras de Marilla, tanto como quisiera. La verdad es que no era un mal acuerdo, porque a veces «mimar» un poco a los niños hace tanto bien como la «educación más estricta» del mundo.

CAPÍTULO 8

MATTHEW INSISTE EN UNAS MANGAS ABULLONADAS

MATTHEW ESTABA PASANDO DIEZ MINUTOS MUY malos. Había entrado en la cocina, una tarde de diciembre, y se estaba quitando las botas en un rincón. No sabía que Ana y varias de sus compañeras estaban ensayando la función en el salón, así que cuando entraron en tropel en la cocina, riéndose y charlando alegremente, se ocultó con timidez entre las sombras y las observó, durante unos incómodos diez minutos, mientras se ponían los sombreros y los abrigos. Ana estaba tan animada y le brillaban tanto los ojos como a las demás, pero de pronto Matthew se dio cuenta de que había algo que la distinguía de sus amigas. Y lo que lo preocupó fue la sensación de que esa diferencia era algo que no debería existir. Ana tenía unas facciones más delicadas que las demás, unos ojos más grandes y

soñadores, un rostro más reluciente —hasta Matthew había aprendido a percatarse de esas cosas—, pero lo que lo inquietaba no tenía nada que ver con aquellos detalles. Entonces ¿qué era?

Mucho tiempo después de que sus compañeras se hubieran marchado y Ana se hubiese puesto a estudiar, Matthew seguía dándole vueltas a esa pregunta. No podía consultar el asunto con Marilla, pues seguramente su hermana contestaría que la única diferencia que apreciaba entre Ana y el resto de las niñas era que las demás cerraban el pico de vez en cuando mientras que Ana era incapaz de hacerlo.

Para disgusto de Marilla, aquella noche Matthew recurrió a su pipa para que lo ayudara a encontrar una respuesta. Tras dos horas fumando y reflexionando, el hombre encontró la solución a su problema: ¡Ana no iba vestida como las demás!

Cuanto más lo pensaba, más convencido estaba de que, desde que había llegado a Las Tejas Verdes, Ana nunca había vestido como el resto de las muchachas de su edad. Marilla siempre le confeccionaba vestidos sencillos y oscuros que seguían el mismo patrón inalterable. Matthew no tenía ni idea de moda, pero sí tenía bastante claro que las mangas de los vestidos de Ana no se parecían en nada a las que llevaban las demás niñas. Recordó las alegres prendas rojas, azules, rosas y blancas de las compañeras que habían es-

tado en casa aquella tarde y se preguntó por qué Marilla se empeñaría en vestir a Ana de una manera tan sosa.

Por supuesto, su hermana era quien estaba a cargo de la educación de la niña, así que seguro que tenía un buen motivo para hacerlo. Pero Matthew estaba convencido de que tampoco pasaría nada por permitir que Ana tuviera un vestido bonito, de modo que decidió que le regalaría uno. Solo quedaban dos semanas para Navidad, así que Marilla no podría acusarlo de estar interfiriendo en la educación de Ana si se lo regalaba entonces.

Al día siguiente, Matthew fue a Carmody a comprar el vestido. Sabía que sería una experiencia complicada, puesto que no entendía nada de moda y estaría completamente a merced de la persona que lo atendiera. En una situación como aquella, necesitaba que el dependiente fuera un hombre. Por esa razón, decidió que, en lugar de acudir como de costumbre a la tienda de William Blair, donde lo habría atendido una de las hijas del dueño, iría a la de Samuel Lawson.

¡Pero Matthew no sabía que Samuel Lawson había ampliado su negocio y contratado a una dependienta! Era su sobrina, una joven elegante de enormes ojos marrones y sonrisa contagiosa, y Matthew se quedó perplejo en cuanto la vio, incapaz de salir de su aturdimiento.

—¿En qué puedo ayudarlo, señor Cuthbert? —preguntó la señorita Lucilla Harris.

—¿Tienen... bueno... esto... rastrillos para el jardín? —tartamudeó Matthew.

La señorita Harris puso cara de sorpresa, y no es de extrañar, porque no tenía sentido pedir un rastrillo en pleno diciembre.

—Creo que nos quedan uno o dos —contestó—, pero están en el almacén. Iré a ver.

Durante su ausencia, Matthew trató de serenarse un poco para volver a intentarlo, así que cuando la dependienta volvió y le preguntó alegremente si necesitaba algo más, el hombre hizo acopio de valor y respondió:

—Bueno, pues, ahora que lo dice, también querría llevarme... es decir... echar un vistazo... comprar unas... unas semillas de césped.

La señorita Harris había oído comentar que Matthew Cuthbert era un hombre raro, pero en aquel momento llegó a la conclusión de que en realidad estaba loco.

—Solo tenemos semillas de césped en primavera —explicó en tono arrogante.

—Claro... claro... —titubeó él sintiéndose ridículo.

Matthew ya estaba en la puerta con el rastrillo en la mano cuando se dio cuenta de que no lo había pagado y, avergonzado, tuvo que regresar al mostra-

dor. Mientras la dependienta le cobraba, hizo un último intento, a la desesperada:

—Esto... si no es mucha molestia... también podría llevarme... es decir... me gustaría ver... el azúcar.

—¿Blanco o moreno? —preguntó la señorita Harris pacientemente.

—Ah... pues... moreno —contestó él.

—Allí hay un barril —señaló la dependienta—. Es la única clase que tenemos.

—Me... me llevaré ocho kilos —dijo Matthew con la frente perlada de sudor.

Ya llevaba medio camino de vuelta a casa cuando consiguió recuperar la compostura. Lo había pasado fatal, pero se lo merecía, pensó el anciano, por haberse arriesgado a ir a una tienda extraña. Cuando llegó, le dio el azúcar a Marilla.

—¡Cómo se te ha ocurrido comprar tanto azúcar moreno! Sabes que casi nunca lo uso. Además, no es de muy buena calidad. En la tienda de William Blake no suelen tener un azúcar tan malo.

—Pensé que... que podría venirte bien en algún momento.

Matthew lo pensó y decidió que necesitaba que una mujer lo ayudara con aquel asunto. Marilla no era una opción, así que solo le quedaba la señora Lynde, pues él no se habría atrevido a pedirle consejo a ninguna otra mujer de Avonlea. Recurrió a ella,

y la buena señora se hizo cargo de la tarea de inmediato.

—¿Que te ayude a elegir un vestido para que se lo regales a Ana? Pues claro que sí, mañana mismo iré a Carmody y me ocuparé de ello. ¿Tienes alguna idea en concreto? ¿No? Pues lo escogeré yo. Creo que William Blair tiene unos nuevos tejidos preciosos. A lo mejor quieres que también se lo confeccione yo, porque si se lo hiciera Marilla ya no sería una sorpresa. No te preocupes, no es ninguna molestia, me gusta coser.

—Te lo agradezco mucho —dijo Matthew—. Y... y... no sé, pero me gustaría... creo que hoy en día hacen las mangas distintas a como eran antes. Si no es pedir demasiado... me gustaría que se las hicieras de la forma nueva.

—¿Abullonadas? Por supuesto. No te preocupes por nada, Matthew, se lo haré a la última moda —aseguró la señora Lynde.

Y cuando Matthew se marchó, la mujer pensó para sí: «Será una gran satisfacción ver a esa pobre criatura con un vestido decente por una vez. Marilla la viste de una manera ridícula, no hay duda, y he estado a punto de decírselo así de claro un montón de veces. Me he contenido porque es obvio que Marilla piensa que sabe más que yo de criar niños, aunque no es más que una vieja solterona. Supongo que al vestir a Ana como lo hace está intentando que sea

una persona humilde, pero yo opino que más bien consigue que sienta envidia y disgusto. Estoy segura de que la niña nota la diferencia entre sus vestidos y los de las demás. ¡Pero si hasta Matthew se ha dado cuenta! Ese hombre se está despertando después de más de sesenta años dormido».

Durante las dos semanas siguientes, Marilla supo que Matthew se traía algo entre manos, pero no adivinó exactamente de qué se trataba hasta el día de Nochebuena, cuando la señora Lynde le llevó el vestido nuevo. Marilla se lo tomó bastante bien en general, aunque desconfió de la diplomática explicación de la señora Lynde cuando le dijo que había hecho el vestido ella misma porque Matthew no quería que Ana se enterara de la sorpresa antes de tiempo si se lo cosía Marilla.

—O sea que este es el misterio que Matthew lleva quince días ocultándome, ¿no? —dijo en un tono frío pero tolerante—. Debo decir que no creo que Ana necesite más vestidos. Le hice tres en otoño, así que todo lo demás es puro capricho. En esas mangas hay tela suficiente para una falda. Lo único que vas a conseguir con esto, Matthew, es hacerla más presumida, y ya lo es bastante. Espero que por fin esté satisfecha, porque sé que lleva suspirando por esas estúpidas mangas desde que llegó, aunque no ha vuelto a decir una palabra al respecto.

El día de Navidad amaneció nevado. Ana contempló el precioso paisaje desde la ventana de su buhardilla y después bajó corriendo la escalera mientras gritaba a pleno pulmón:

—¡Feliz Navidad, Marilla! ¡Feliz Navidad, Matthew! ¡Cómo me alegro de que haya nevado! Si no, la Navidad no parece de verdad, ¿no os parece? ¡Ay! ¡Vaya! Matthew, ¿eso es para mí? ¡Caray!

Matthew había desenvuelto el vestido y lo sujetaba tímidamente ante Ana mientras miraba a Marilla como si le pidiera perdón. Esta fingía estar ocupada llenando la tetera, pero en realidad contemplaba la escena con bastante interés por el rabillo del ojo.

La niña cogió el vestido y lo observó, sumida en un silencio reverencial. Era precioso, de un tejido suave y marrón que brillaba como la seda, con una falda con volantes delicados y encaje en el cuello. Pero las mangas... ¡eran la joya de la corona!

—Es tu regalo de Navidad, Ana —dijo Matthew casi temeroso—. ¿No... no te gusta? Bueno, pues... Pues...

Porque, de pronto, a Ana se le habían llenado los ojos de lágrimas.

—¡Oh, Matthew! —exclamó la niña, que dejó el vestido sobre una silla y juntó las manos—. ¡Es perfecto! Jamás podré agradecértelo lo suficiente. ¡Mira qué mangas! Ay, madre, debo de estar soñando.

—Venga, venga, vamos a desayunar—intervino Marilla—. Que te quede claro, Ana, que no creo que necesites ese vestido, pero ya que Matthew te lo ha comprado, cuídalo muy bien. La señora Lynde también te ha dejado una cinta para el pelo. Es marrón, a juego con el vestido. Y ahora, sentaos.

—No creo que pueda desayunar —dijo Ana entusiasmada—. Es un momento demasiado emocionante para hacer algo tan normal y corriente como comer. Preferiría seguir contemplando el vestido. Me alegro de que todavía se lleven las mangas abullonadas, tenía la sensación de que jamás lo superaría si hubieran dejado de llevarse antes de que yo tuviese un vestido así. Ha sido un detalle que la señora Lynde me haya regalado la cinta para el pelo. Es en momentos así cuando me arrepiento de no ser todo lo buena que debería y me propongo firmemente serlo en el futuro, pero es complicado cumplir tus propósitos cuando te topas con tentaciones irresistibles. En cualquier caso, después de esto, me esforzaré de verdad.

Diana se acercó a Las Tejas Verdes después del desayuno. Ana bajó corriendo hacia el arroyo para salir a su encuentro.

—¡Feliz Navidad, Diana! Hoy tengo que enseñarte una cosa. Matthew me ha regalado un vestido precioso.

—Yo también tengo algo para ti —repuso su ami-

ga casi sin aliento—. Toma... esta caja. La tía Josephine nos ha enviado un baúl enorme con muchas cosas... y esto es para ti.

Ana abrió la caja y echó un vistazo al interior. Primero encontró una tarjeta con el siguiente mensaje: «Para la niña Ana, Feliz Navidad». Y después, un par de zapatos preciosos, con lazos de satén y hebillas relucientes.

—¡Vaya! —exclamó Ana—. Diana, esto es demasiado, debo de estar soñando.

—Pues a mí me parece de lo más oportuno, porque así podrás ponértelos para hacer de hada madrina en la función.

Los alumnos del colegio de Avonlea estaban nerviosos aquel día, puesto que tenían que decorar el salón municipal y hacer el ensayo general. El concierto se celebró por la noche y fue todo un éxito. Todos los participantes lo hicieron muy bien, pero Ana fue la estrella indiscutible, nadie se atrevió a negarlo.

—¿No ha sido una noche magnífica? —preguntó Ana con un suspiro cuando Diana y ella regresaban a casa caminando bajo el cielo estrellado.

—Ha salido todo muy bien —contestó Diana con su pragmatismo habitual—. Caramba, creo que el señor Allan va a enviar una reseña sobre el concierto a los periódicos de Charlottetown.

—¡Vaya, Diana! ¿Aparecerán nuestros nombres en el diario? Me haría muchísima ilusión. Todo ha sido perfecto. Me he sentido muy orgullosa cuando te han pedido un bis. En ese momento pensé: «Es mi amiga del alma la que canta tan bien».

—Pues a ti te han aplaudido un montón cuando has recitado los poemas.

—Estaba muy nerviosa. Ni siquiera recuerdo cómo he subido al escenario cuando el señor Allan ha dicho mi nombre. Durante un instante, creí que no iba a ser capaz de empezar, pero entonces pensé en mis mangas abullonadas y recuperé el valor. ¿He gemido bien?

—Sí, claro, has gemido perfectamente.

—Es muy romántico participar en una función, ¿verdad? Oh, ha sido un día memorable.

—Los chicos también lo han hecho muy bien —continuó Diana—. Gilbert Blythe ha estado estupendo. Ana, creo que tu forma de tratar a Gil es de lo más cruel. Con lo romántica que eres, debería alegrarte saber que, cuando has bajado del escenario tras hacer de hada madrina, se te ha caído una rosa del pelo y él la ha recogido y se la ha guardado en el bolsillo de la chaqueta.

—Lo que haga esa persona me da completamente igual —contestó Ana con desdén—. No malgasto ni un solo segundo en pensar en él.

Aquella noche, Marrilla y Matthew, que habían asistido a un concierto por primera vez desde hacía veinte años, se quedaron un rato junto al fuego de la cocina después de que Ana se acostara.

—Bueno, yo diría que nuestra Ana lo ha hecho tan bien como todos los demás —comentó Matthew con orgullo.

—Sí —reconoció Marilla—. Es una niña muy inteligente, Matthew. Y estaba muy guapa. He de reconocer que no me gustaba mucho la idea de esta función, pero la verdad es que tampoco creo que les haya hecho ningún mal. Hoy me he sentido orgullosa de Ana, aunque no pienso decírselo.

—Pues yo sí se lo he dicho, antes de que subiera a acostarse —confesó Matthew—. Algún día de estos deberíamos pensar qué podemos hacer por ella, Marilla. Supongo que en algún momento necesitará algo más que la escuela de Avonlea.

—Hay tiempo para pensarlo —repuso su hermana—. En marzo cumplirá solo trece años, aunque hoy me ha parecido que está creciendo muy deprisa. Aprende rápido, y supongo que lo mejor será enviarla a la universidad, pero no hace falta que le digamos nada hasta dentro de uno o dos años.

—Bueno, no pasa nada por ir pensándolo —dijo Matthew—. Esas cosas es mejor pensarlas con tiempo.

CAPÍTULO 9

EL CLUB DE LOS CUENTOS

A LOS MÁS PEQUEÑOS DE AVONLEA LES RESULTÓ difícil volver a adaptarse a la rutina. A Ana, en concreto, todo le parecía tremendamente soso y aburrido después de las emociones de las últimas semanas. ¿Sería capaz de conformarse de nuevo con los tranquilos placeres de los días anteriores al concierto? Al principio, según le confesó a su amiga, pensó que no.

—Estoy segura, Diana, de que la vida no puede volver a ser como en aquella época dorada —le dijo en tono melancólico, como si estuviera hablando de algo ocurrido hacía al menos cincuenta años—. Puede que con el tiempo me acostumbre, pero me temo que los conciertos incapacitan a la gente para la vida diaria. Supongo que esa es la razón por la que Marilla no los aprueba, y ella es una mujer muy sensata.

A mí no me gustaría convertirme en una persona sensata, porque son muy poco románticas. La señora Lynde dice que no hay ningún peligro de que eso ocurra algún día, pero nunca se sabe... Ayer por la noche tardé mucho en dormirme porque estuve imaginándome el concierto una y otra vez. Es una de las mejores cosas de ese tipo de acontecimientos, que recordarlos es maravilloso.

Sin embargo, la escuela de Avonlea terminó por recuperar la senda y retomar sus viejos intereses. El concierto, como no podía ser de otra manera, dejó una estela de pequeñas rencillas y envidias que, pese a todo, no interfirieron en el buen funcionamiento del diminuto reino de la señorita Stacy.

El invierno fue quedando atrás. Fueron unos meses inusualmente templados, sin apenas nieve. El día del cumpleaños de Ana, Diana y ella recorrieron el camino que las llevaba al colegio con los ojos y los oídos muy abiertos, pues la señorita Stacy les había dicho que pronto tendrían que escribir una redacción titulada «Un paseo invernal por el bosque», así que debían prestar atención.

—Piénsalo, Diana, hoy cumplo trece años —señaló la muchacha con voz de asombro—. Apenas puedo creérmelo. Cuando me he despertado esta mañana, tenía la sensación de que todo debía ser distinto. Tú ya los cumpliste hace un mes, así que no te parecerá tan novedoso como a mí. Dentro de dos años, seré una verdadera adulta. Me consuela pensar que entonces podré utilizar palabras rimbombantes sin que se rían de mí.

—Ruby Gillis dice que va a echarse novio en cuanto cumpla los quince —comentó Diana.

—Ruby Gillis no piensa en otra cosa —replicó Ana con desprecio—. Aunque finja que se enfada, en realidad le encanta que escriban su nombre en la pared junto al de los chicos. Pero me temo que eso es criticar, y la señora Allan dice que no debemos hacerlo. Puede que hayas notado que estoy intentando parecerme todo lo posible a la señora Allan, porque creo que es perfecta. Ahora que ya tengo trece años, a lo mejor soy capaz de dejar de olvidarme de mis obligaciones y lo consigo.

—Dentro de cuatro años, podremos hacernos recogidos en el pelo —comentó Diana—. Alice Bell solo tiene dieciséis y ya se los hace, pero a mí me parece ridículo. Yo esperaré hasta los diecisiete.

—Si yo tuviera la nariz de Alice Bell —dijo Ana muy decidida—, no se me ocurriría recogerme el pelo, pero... ¡otra vez! No diré lo que iba a decir, porque sería criticar. Además, la estaba comparando con mi propia nariz, y eso es vanidad. ¡Mira, Diana, un conejo! Tenemos que recordarlo para nuestra redacción.

—No creo que me cueste escribir esa redacción cuando llegue el momento —suspiró su amiga—. Escribir sobre el bosque es fácil, pero la que tenemos que entregar el lunes es horrible. ¡Cómo se le ocurre a la señorita Stacy pedirnos que nos inventemos una historia!

—¡Pero si es facilísimo!

—Para ti sí, porque tienes mucha imaginación —le espetó Diana—, pero ¿qué harías si hubieras nacido sin ella? Supongo que tú ya la tendrás escrita.

Ana asintió con la cabeza, tratando, sin conseguirlo, de no parecer demasiado satisfecha consigo misma.

—La escribí el lunes pasado. Se titula «La rival celosa o Ni la muerte nos separará». Se la leí a Marilla y me dijo que eran un montón de tonterías. Se la leí a Matthew y me dijo que estaba muy bien. Ese es el tipo de crítica que me gusta. Es una historia muy triste, lloré muchísimo mientras la escribía. Trata de dos preciosas doncellas llamadas Cordelia Montmorency y Geraldine Seymour. Vivían en el mismo pueblo y eran muy amigas. Cordelia era una niña morena de ojos oscuros y brillantes, mientras que Geraldine era rubia con los ojos morados.

—Nunca he visto a nadie con los ojos morados —señaló Diana dubitativa.

—Yo tampoco. Me los imaginé así porque quería

algo fuera de lo común. Geraldine también tiene la frente de alabastro. Ya he descubierto lo que quiere decir tener la frente de alabastro. Esa es una de las ventajas de tener trece años: que sabes mucho más que cuando tenías doce.

—Bueno, ¿y qué les pasó a Cordelia y Geraldine? —preguntó Diana, que empezaba a sentir bastante interés por el destino de las heroínas.

—Crecieron juntas hasta que cumplieron dieciséis años. Entonces Bertram DeVere llegó al pueblo y se enamoró perdidamente de la bella Geraldine tras salvarle la vida cuando su caballo se desbocó. Me costó bastante imaginarme la propuesta de ma-

trimonio, porque no tenía ninguna experiencia en la que basarme. Le pregunté a Ruby Gillis si ella sabía algo al respecto, porque pensé que, teniendo tantas hermanas casadas, sería toda una autoridad en el asunto. Lo que me contó de su hermana Susan, que no se comprometió con Malcolm Andres hasta que el padre de este puso la granja a su nombre, no me pareció muy romántico, así que al final tuve que imaginármelo como pude. Bertram se puso de rodillas y Geraldine aceptó con un discurso de más de una página de largo. Tuve que reescribirlo cinco veces, pero lo considero mi obra maestra. Bertram le regaló un anillo de diamantes y un collar de rubíes y le prometió que irían a pasar la luna de miel a Europa, porque era muy rico. Pero entonces las sombras comenzaron a recaer sobre ellos. Cordelia estaba secretamente enamorada de Bertram, así que cuando Geraldine le contó que se habían prometido, la joven se puso furiosa, sobre todo cuando vio el anillo y el collar. Su cariño hacia Geraldine se transformó en odio y se juró a sí misma que impediría la boda, pero siguió fingiendo que eran amigas. Una tarde, las dos estaban sobre un puente y Cordelia, pensando que estaban solas, tiró a Geraldine al arroyo mientras soltaba una risa malévola. Sin embargo, Bertram lo vio todo y se lanzó de inmediato al agua para salvarla. Pero, ¡tragedia!, se había olvidado de que no sabía nadar y ambos se hundieron envueltos el uno en brazos del otro. Los enterraron en una sola tumba y se celebró un funeral imponente. Es mucho más romántico terminar una historia con un funeral que con una boda. En cuanto a Cordelia, se volvió loca de remordimientos y la encerraron en un manicomio. Me pareció que era de justicia poética por su crimen.

—¡Qué bonita! —exclamó Diana, que pertenecía a la misma corriente crítica que Matthew—. Ojalá mi imaginación fuera tan buena como la tuya, Ana.

—Lo sería si la cultivaras —dijo Ana alegremente—. Se me acaba de ocurrir una idea, Diana: formemos un club de cuentos para practicar escribiendo historias. Yo te ayudaré hasta que seas capaz de escribirlas sola. Ya sabes que es bueno fomentar la imaginación, lo dice la señorita Stacy. Pero debemos mantenerla en el buen camino, porque le conté lo del Bosque Encantado y me dijo que ahí nos habíamos desviado hacia el malo.

Y así fue como se creó el club de los cuentos. Al principio sus únicos miembros fueron Ana y Diana, pero pronto se sumaron otras tres o cuatro niñas que creían que necesitaban cultivar la imaginación. No se aceptaban chicos —a pesar de las objeciones de Ruby Gillis—, y cada una de las componentes del club tenía que escribir un cuento a la semana.

—Es muy interesante —le explicó Ana a Marilla—.

Cada una lee su historia en voz alta y luego la comentamos entre todas. Vamos a guardarlas con mucho cariño para que las lean nuestros descendientes. Todas escribimos bajo seudónimo. El mío es Rosamund Montmorency. A las chicas se les da bastante bien, aunque casi siempre tengo que decirles sobre qué escribir; pero eso no me resulta difícil, porque tengo millones de ideas.

—Creo que este asunto de los cuentos es la mayor de tus tonterías hasta el momento —la reprendió Marilla—. No hacéis más que perder un tiempo que deberíais dedicar a estudiar. Leer cuentos ya es bastante malo, ¡pero escribirlos es aún peor!

—Pero si siempre introducimos una moraleja en todos, Marilla. Insisto en que sea así. Los buenos siempre reciben algún tipo de recompensa y a los malos se les castiga. Estoy segura de que eso debe de tener un efecto educativo. La moraleja es lo más importante, lo dice la señora Allan. Les leí a ella y al pastor una de mis historias y me dijeron que la moraleja era excelente, pero se rieron en los pasajes que no tocaba. También le enviamos algunos de nuestros mejores cuentos a la señorita Josephine Barry, la tía de Diana, y nos contestó que nunca había leído nada tan divertido. Nos sorprendió un poco, porque eran historias muy trágicas y en las que casi todo el mundo moría, pero me alegro de que le gustaran. Eso

demuestra que nuestro club está haciendo algo bueno por el mundo, y la señora Allan dice que ese debería ser nuestro objetivo en todo. Espero ser como la señora Allan cuando sea mayor, ¿crees que existe alguna posibilidad de que lo consiga, Marilla?

—Yo diría que no muchas —fue la poco alentadora respuesta de la mujer—. Estoy segura de que la esposa del pastor nunca fue una niña tan despistada y olvidadiza como lo eres tú.

—No, pero ella misma me contó que tampoco era tan buena como lo es ahora —señaló Ana muy seria—. Un día me explicó que de pequeña era muy traviesa y siempre andaba metiéndose en líos. Me animé mucho cuando me lo dijo. ¿Crees que está mal que me anime cuando oigo que otras personas han sido malas y traviesas y después han llegado a ser buenas?

—Lo que yo creo, Ana —respondió Marilla—, es que ya es hora de que laves esos platos. Has tardado media hora más de lo debido con tanta cháchara. Aprende a trabajar primero y a hablar después.

CAPÍTULO 10

VANIDAD Y DESOLACIÓN

MIENTRAS REGRESABA A CASA UNA TARDE DE ABRIL, Marilla se dio cuenta de que el invierno se había marchado para dejar paso a la primavera. Con la alegría que suele proporcionar esa estación, la mujer pensó que era una suerte saber que al llegar a casa podría disfrutar del fuego de la chimenea y de la mesa ya preparada para tomar el té con Ana.

Por eso, cuando entró en la cocina y vio que no había ni rastro del fuego ni de Ana, se sintió decepcionada e irritada. Le había pedido a la niña que tuviera la merienda lista a las cinco de la tarde, pero ahora tendría que prepararla ella misma, a toda prisa, antes de que Matthew regresara del campo.

—Ya me encargaré yo de dejarle las cosas claras a la señorita cuando vuelva a casa —protestó Marilla

mientras encendía el fuego con más vigor del necesario. Matthew ya estaba en casa y esperaba pacientemente a que la merienda estuviera lista—. Está por ahí haciendo el tonto con Diana, escribiendo historias o practicando obras de teatro, sin pensar ni una sola vez en sus obligaciones. Hay que atarla en corto con esas cosas. Me da igual que la señora Allan piense que es la niña más lista y adorable que ha conocido en su vida. Quizá tenga razón, pero también tiene la cabeza llena de pájaros. Pero... ¡vaya! Aquí estoy yo, soltando las mismas palabras que me han sacado de quicio esta tarde cuando las ha pronunciado la señora Lynde. Me he alegrado mucho cuando la señora Allan ha salido en defensa de Ana, porque si no yo misma habría acabado por decirle alguna grosería a Rachel delante de todo el mundo. Ana tiene muchos defectos, eso está claro, no seré yo quien lo niegue. Pero su educación es cosa mía, no de Rachel Lynde, que sería capaz de encontrarle fallos a los mismísimos ángeles si vivieran en Avonlea. De todas formas, Ana no tiene excusa para haber salido de casa esta tarde cuando le pedí que se quedara aquí y se encargase de todo. Nunca la había considerado una niña desobediente o en la que no se pudiera confiar, y no me gusta empezar a pensarlo ahora.

—Bueno, no sé —dijo Matthew, que sabía por experiencia que, cuando estaba enfadada, lo mejor era

dejar que Marilla se desahogara sin interrupciones—, puede que la estés juzgando demasiado rápido. No pienses que no se puede confiar en ella hasta que confirmes que te ha desobedecido. A lo mejor todo tiene una explicación.

—No está aquí cuando le pedí que no saliera —replicó Marilla—. Yo diría que va a costarle mucho convencerme con sus explicaciones. Está claro que tú siempre te pones de su parte, Matthew, pero soy yo quien la está criando, no tú.

Ya había oscurecido y Ana seguía sin dar señales de vida. Marilla fregó los platos, todavía de mal humor, y después subió a la buhardilla a por la vela que normalmente descansaba sobre la mesa de Ana, ya que la necesitaba para bajar al sótano. Cuando la encendió, descubrió que la niña estaba tumbada boca abajo en su cama.

—¡Por el amor de Dios! —exclamó la mujer sorprendida—. ¿Has estado durmiendo, Ana?

—No —fue la respuesta amortiguada que recibió.

—¿Te encuentras mal, entonces? —preguntó Marilla acercándose a la cama con nerviosismo.

Ana se hundió aún más en sus almohadas, como si deseara esconderse para siempre del resto de la humanidad.

—No, pero, por favor, Marilla, márchate y no me mires. Estoy hundida en la desesperación y ya no

me importan pequeñeces como quién es el primero de la clase, quién escribe las mejores redacciones o quién canta en el coro. Todo me da igual porque ya no podré volver a ir a ningún sitio. Mi carrera se ha acabado. Por favor, Marilla, vete y no me mires.

La mujer no daba crédito a lo que oía.

—Ana Shirley, ¿se puede saber qué te pasa? ¿Qué has hecho? Levántate de ahí ahora mismo y explícamelo. Venga, vamos. Muy bien, ¿qué ocurre?

Ana, desalentada, había obedecido.

—Mírame el pelo —susurró.

Marilla levantó la vela y estudió la cabellera de la muchacha, que le caía por la espalda en mechones apelmazados. Lo cierto era que tenía un aspecto muy extraño.

—Ana Shirley, ¿qué te has hecho en el pelo? ¡Pero si está verde!

En realidad no existía manera de describir aquel tono extraño, opaco, como de bronce verdoso, salpicado aquí y allá de vetas del rojo original del cabello de Ana. Marilla no había visto nada tan ridículo en toda su vida.

—Sí, está verde —gimoteó Ana—. Creía que no podía haber nada peor que el pelo rojo, pero me equivocaba. Marilla, no te imaginas lo desgraciada que me siento.

—Ni siquiera me imagino cómo te has metido en

este lío, pero pienso averiguarlo —replicó ella—. Baja de inmediato a la cocina, que aquí hace mucho frío, y explícame qué ha pasado. Me lo veía venir... Llevabas más de dos meses sin meterte en líos, así que estaba segura de que algún otro estaba al caer. Y bien, ¿qué te has hecho en el pelo?

—Me lo he teñido.

—¡Te lo has teñido! ¿Es que no sabías que ponerte a teñirte el pelo era una trastada?

—Sí, lo sabía —reconoció Ana—. Pero pensé que merecía la pena portarme un poco mal si así conseguía librarme del pelo rojo. Además, me había propuesto ser extrabuena en otras cosas para compensarlo.

—Bueno —dijo Marilla en tono sarcástico—, si yo hubiera decidido que merecía la pena teñirme el pelo, al menos lo habría hecho de un color decente, ¡y no de verde!

—Pero es que yo no quería teñírmelo de verde —protestó Ana abatida—. Me dijo que me dejaría el pelo de un negro precioso, me aseguró que sería así. ¿Cómo iba a dudar de sus palabras? La señora Allan dice que no debemos sospechar nunca que alguien nos está mintiendo salvo que tengamos pruebas de lo contrario. Ahora ya tengo pruebas, pero entonces no las tenía, y me creí todas y cada una de las palabras que me dijo.

—¿Quién te lo dijo, de quién estás hablando?

—Del vendedor ambulante que ha estado aquí esta tarde, al que le he comprado el tinte.

—Ana Shirley, ¿cuántas veces te he dicho que no dejes entrar a esos charlatanes en casa?

—No lo he dejado entrar. Me acordaba de lo que me habías dicho, así que he salido yo de casa, he cerrado la puerta con cuidado y he mirado lo que vendía en el escalón de la entrada. Llevaba una caja enorme llena de cosas interesantes, y de repente vi el frasco de tinte. El vendedor me dijo que teñiría cualquier cabello de negro y no se marcharía con los lavados. Enseguida me vi con una preciosa melena negra y no pude resistir la tentación. El frasco costaba más dinero del que tenía, pero el vendedor era un hombre de buen corazón y, a pesar de que según sus propias palabras aquello era «regalármelo», me lo dio a cambio de las monedas que me quedaban. Así que en cuanto se marchó, subí y me lo apliqué siguiendo las indicaciones. Cuando he visto este color tan feo, me he arrepentido mucho de portarme mal, te lo aseguro.

—Pues espero que te sirva de lección —dijo Marilla con severidad— y que seas capaz de ver adónde te ha llevado tu vanidad, Ana. A saber qué tenemos que hacer para quitarte eso del pelo. Supongo que lo primero será lavártelo bien para ver si se va un poco.

Ana se lavó la cabeza frotándosela muy bien con agua y jabón, pero no le sirvió de nada. Por mucho que hubiera mentido en otros aspectos, el vendedor ambulante había dicho la verdad respecto a que el tinte no se marcharía con los lavados.

—Ay, Marilla, ¿qué voy a hacer? —preguntó Ana entre lágrimas—. Casi todo el mundo se ha olvidado ya de mis otros fallos, de que emborraché a Diana y perdí los nervios con la señora Lynde, pero esto no se les irá jamás de la cabeza. Pensarán que no soy una persona respetable. ¡Cómo se va a reír de mí Josie Pye! No puedo enfrentarme a ella. Soy la niña más desgraciada de toda la Isla del Príncipe Eduardo.

Ana se pasó una semana entera encerrada en casa lavándose el pelo a diario. La única persona que no vivía en Las Tejas Verdes y conocía el secreto era Diana, que prometió solemnemente no contárselo a nadie y cumplió su palabra. Al cabo de siete días, Marilla aseguró con firmeza:

—No tiene sentido, Ana. Ese tinte es de los más resistentes que he visto en mi vida. Hay que cortarte el pelo, no queda otra solución. No puedes salir a la calle con esa pinta.

A la niña se le llenaron los ojos de lágrimas, pero se dio cuenta de que Marilla tenía toda la razón. Con un suspiro deprimente, fue a por las tijeras.

—Por favor, Marilla, córtamelo rápido. Acabemos

con esto cuanto antes. Se me rompe el corazón, porque es una forma muy poco romántica de perder el pelo. En los libros las chicas lo pierden a causa de enfermedades o lo venden para conseguir dinero para una buena causa, pero tener que cortarte el cabello porque te lo has teñido de un color horroroso no ofrece ningún consuelo. Es una situación muy trágica, así que, si no te molesta, voy a pasarme el rato llorando mientras me lo cortas.

Marilla se empleó a fondo en el trabajo y le dejó el pelo lo más corto que pudo. Cuando se miró al espejo, Ana no lloró, sino que se dejó invadir por una desesperación tranquila y le dio la vuelta al espejo de su habitación.

—No volveré a mirarme hasta que me crezca la melena.

Pero enseguida volvió a girar el espejo.

—Sí, sí lo haré. Será mi penitencia por haberme portado mal. Me miraré cada vez que entre en mi habitación y veré lo fea que soy. Y no intentaré imaginarme lo contrario.

El lunes siguiente, el corte de pelo de Ana causó sensación en el colegio, pero, para alivio de la niña, nadie adivinó la verdadera causa de que se lo hubiera cortado, ni siquiera Josie Pye, que, de todas maneras, no se olvidó de señalarle a Ana que parecía un espantapájaros.

—No le he contestado cuando me lo ha dicho —le explicó Ana a Marilla aquella noche—, porque he pensado que era parte de mi castigo y que tenía que soportarlo con paciencia. Me he limitado a lanzarle una mirada asesina y luego la he perdonado. Te sientes muy generosa cuando perdonas a los demás, ¿a que sí? Después de esto, voy a dedicar todas mis energías a ser buena, y nunca volveré a intentar ser guapa. Está claro que es mejor lo primero, ya lo sé, pero a veces es muy difícil creerte algo aunque lo sepas. Tengo muchas ganas de ser buena, Marilla, como tú, como la señora Allan y la señorita Stacy, y de que estés orgullosa de mí cuando sea mayor. Pero ¿estoy hablando demasiado, Marilla? ¿Te duele la cabeza?

—Ya estoy mejor. Esta tarde me ha dolido muchísimo. Estas jaquecas cada vez son peores, tendré que ir al médico. En cuanto a tu cháchara, no me molesta... me he acostumbrado a ella.

Y esa era su forma de decir que, en realidad, le gustaba escucharla.

CAPÍTULO 11

LA DESAFORTUNADA DONCELLA DE LOS LIRIOS

—PUES CLARO QUE TIENES QUE HACER TÚ DE ELAINE, Ana—dijo Diana—. Yo sería incapaz de mantenerme a flote en esas tablas.

—Ni yo —aseguró Ruby Gillis con un escalofrío—. No me importa hacerlo cuando somos dos o tres y vamos sentadas, pero tumbarme y fingir que estoy muerta... Me daría tanto miedo que me moriría de verdad.

—Está claro que sería muy romántico —concedió Jane Andrews—, pero yo no podría estarme quieta. Levantaría la cabeza cada dos por tres para ver dónde estoy y si me he alejado demasiado, y eso fastidiaría el efecto, Ana.

—Pero que Elaine sea pelirroja es absurdo —se quejó Ana—. A mí no me da miedo dejarme arrastrar por la corriente sobre las tablas y, además, me encan-

taría ser Elaine, pero aun así es ridículo. Tendría que hacerlo Ruby, que es rubia y tiene una melena larga preciosa, igual que Elaine, la dama de los lirios. Está claro que una persona pelirroja no puede ser la dama de los lirios.

—Tu cara es tan bonita como la de Ruby —argumentó Diana muy convencida—, y ahora tu pelo es mucho más oscuro que antes de que te lo cortaras.

—¿De verdad lo crees? —preguntó su amiga ruborizándose de alegría—. Yo lo había pensado alguna vez, pero no me había atrevido a preguntárselo a nadie por miedo a que me dijeran que me equivocaba. ¿Crees que ahora podría decirse que tengo el pelo caoba, Diana?

—Sí, y me parece precioso —contestó la muchacha mientras contemplaba con admiración los rizos cortos y sedosos que Ana se sujetaba con una cinta de terciopelo negro muy elegante.

Estaban de pie junto a la orilla del estanque, cerca de Ladera del Huerto. Aquel verano, Ana y Diana habían pasado la mayor parte de su tiempo libre jugando allí. Idlewild era cosa del pasado, puesto que durante la primavera el señor Bell había talado sin piedad el pequeño círculo de árboles de su prado. Ana había llorado desconsoladamente entre los tocones —sin dejar de percatarse de lo romántico de la situación—, pero se había contentado enseguida, porque, como

bien decía Diana, las niñas de trece años, camino de catorce, eran demasiado mayores para un entretenimiento tan infantil como una casa de juegos. Las posibilidades que ofrecía el estanque eran mucho más fascinantes, y las niñas habían aprendido a pescar truchas desde el puente y a remar en la pequeña barca del señor Barry. También habían descubierto que podían soltar de su anclaje la pequeña plataforma de madera que se internaba en el agua para uso de pescadores y cazadores de patos. Se montaban en ella y pasaban flotando por debajo del puente hasta quedar varadas en un pequeño saliente de tierra. Aquella balsa de tablas les iba como pintada para la representación de Elaine.

La idea de dramatizar Elaine había sido de Ana. Se trataba de la protagonista de un poema que habían estudiado en el colegio el invierno anterior. Lo habían analizado y diseccionado hasta tal punto que todos sus protagonistas —la dama de los lirios, Lancelot, Ginebra y el rey Arturo— se habían convertido en personas casi reales para las niñas. A Ana le daba mucha pena no haber nacido en Camelot, puesto que aquella época era mucho más romántica que el presente, decía.

—Muy bien, yo seré Elaine —accedió Ana a regañadientes, pese a que su sentido artístico continuaba diciéndole que aquello no tenía sentido—. Ruby, tú

tienes que ser el rey Arturo, Jane será Ginebra y Diana debe ser Lancelot. Pero antes tendréis que hacer de los hermanos que se despiden de ella. Tenemos que cubrir la balsa de arriba abajo con una tela negra, como un paño mortuorio. El chal viejo de tu madre nos valdrá, Diana.

Tras hacerse con el chal, Ana lo extendió sobre la plataforma y después se tumbó encima con los ojos cerrados y las manos cruzadas sobre el pecho.

—Ay, parece que está muerta de verdad —susurró Ruby Gillis angustiada—. Me da miedo, chicas. ¿Creéis que está bien que juguemos a representar estas cosas? La señora Lynde dice que hacer obras de teatro es portarse fatal.

—Ruby, no deberías hablar de la señora Lynde —la reprendió Ana—. Estropea la atmósfera, porque esto sucedió muchos siglos antes de que ella naciera. Jane, encárgate tú: no tiene sentido que Elaine hable, porque está muerta.

No habían podido encontrar ni un solo lirio blanco, pero les bastó con que Ana sujetara uno azul entre las manos.

—Muy bien, ya está lista —dijo Jane—. Ahora debemos besarla en la frente y despedirnos de ella diciéndole «Adiós, hermana» con todo el dolor de nuestro corazón. Ana, por el amor de Dios, sonríe un poco. Así, mucho mejor. Venga, soltad la plataforma.

Eso hicieron, y en cuanto vieron que la corriente la arrastraba, Diana, Jane y Ruby se dirigieron hacia el puente y se internaron en el bosque para dirigirse a la curva donde, como Lancelot, Ginebra y el rey Arturo, se prepararían para recibir a la dama de los lirios.

Durante unos minutos, Ana flotó tranquilamente sobre el estanque, disfrutando al máximo del romanticismo de la situación. Pero entonces ocurrió algo que no tenía nada de romántico: la plataforma comenzó a hacer agua. Elaine tuvo que levantarse a toda prisa para recoger su paño mortuorio negro; debajo, vio una enorme grieta por la que el agua se colaba a borbotones. Ana se dio cuenta enseguida de que corría peligro, porque, con aquella raja, la plataforma se hundiría mucho antes de llegar a la curva donde solía encallarse.

La niña soltó un chillido agudo que nadie llegó a oír. Se puso pálida de golpe, pero no perdió los nervios. Tendría una única oportunidad, solo una...

—Estaba muy asustada —le contó a la señora Allan al día siguiente—, y me dio la sensación de que la balsa tardaba años en llegar al puente. Cada vez se hundía más. Recé mucho, señora Allan, pero con los ojos abiertos, porque mi única posibilidad de salvarme era que la plataforma pasara lo bastante cerca de uno de los pilares del puente para que pudiera encaramarme

a él. Ya sabe que no son más que viejos troncos de árboles con un montón de ramas. No hacía más que repetir: «Querido Dios, por favor, tú lleva la plataforma hacia un pilar que yo ya me encargo del resto». Me escuchó, porque la madera chocó directamente contra un pilar y, con el chal al hombro, pude agarrarme al tronco y apoyar los pies en el muñón de una rama. Y allí me quedé, señora Allan, aferrada a aquel viejo pilar resbaladizo sin poder ir ni hacia arriba ni hacia abajo. Era una postura muy poco romántica, pero en ese momento no lo pensé, sino que me concentré en agarrarme con todas mis fuerzas, porque sabía que seguramente dependería de ello conseguir ayuda humana para poder volver a tierra firme.

La plataforma terminó sumergiéndose en el agua, y Ruby, Jane y Diana, que ya la esperaban en la curva, la vieron desaparecer a lo lejos. No les cupo duda de que Ana se había hundido con ella y, durante un instante, se quedaron petrificadas. A continuación, entre gritos, echaron a correr como locas por el bosque en dirección al puente. Ana, desde su inestable punto de apoyo, distinguió sus siluetas y las oyó gritar. La ayuda no tardaría en llegar.

Pasaron los minutos, cada uno de ellos como una hora para la desafortunada dama de los lirios. ¿Por qué no acudía nadie a rescatarla? ¿Adónde habían ido las chicas? ¿Y si se habían desmayado todas de golpe? ¿Y si le daba un calambre o se cansaba y no podía seguir sujetándose? La muchacha bajó la vista hacia las profundidades verdosas y se estremeció. Su imaginación se desbocó y empezó a sugerirle todo tipo de posibilidades espantosas.

Justo cuando empezaba a pensar que ya no sería capaz de soportar el dolor de los brazos ni un segundo más, ¡Gilbert Blythe apareció remando bajo el puente en el bote de Harmon Andrews!

El chico alzó la vista y, para su sorpresa, descubrió unos ojos grises que lo miraban con miedo y desdén al mismo tiempo.

—¡Ana Shirley! ¿Cómo diantres has llegado ahí?

Sin esperar a que le contestara, el muchacho se acercó al pilar y le tendió la mano. Ana no pudo rechazarlo: se agarró a la mano de Gilbert y bajó al bote, donde se sentó, empapada y furiosa, sujetando el chal entre los brazos. Sin duda, era difícil mantener la dignidad en aquellas circunstancias.

—¿Qué ha pasado, Ana? —preguntó Gilbert al recuperar los remos.

—Estábamos representando Elaine —contestó Ana con frialdad y sin siquiera mirarlo—, y yo tenía que llegar a Camelot en mi barcaza... es decir, en la plataforma. Pero empezó a hundirse y me agarré al pilar. Las chicas han ido a buscar ayuda. ¿Serías tan amable de llevarme a tierra firme?

Gilbert la acercó a la orilla y Ana, despreciando su ayuda, bajó de un salto del bote.

—Te lo agradezco mucho —dijo con arrogancia, y se dio la vuelta para marcharse.

Pero el chico también se había bajado del bote y la agarró del brazo.

—Ana —dijo a toda prisa—, ¿no podemos ser buenos amigos? Siento muchísimo haberme reído de tu pelo aquella vez. No pretendía ofenderte, solo fue una broma. Además, ha pasado mucho tiempo. Ahora pienso que tu pelo es precioso, de verdad. Seamos amigos.

Ana titubeó un momento. Tenía la sensación, nueva y extraña para ella, de que la timidez y el nerviosismo que transmitían los ojos almendrados de Gilbert eran algo agradable. El corazón le dio un ligero vuelco. Pero el rencor por su vieja ofensa le devolvió la determinación enseguida. Revivió la escena sucedida hacía más de dos años con la misma intensidad que si hubiera ocurrido el día anterior. Gilbert la había llamado «zanahoria» y la había convertido en el hazmerreír de la clase. Al parecer, el tiempo no era capaz de suavizar el resentimiento de Ana, cosa que en realidad era tan ridícula como el insulto que lo había motivado. ¡Odiaba a Gilbert Blythe! ¡Nunca lo perdonaría!

—No —contestó con frialdad—. Nunca seré tu amiga, Gilbert Blythe, ¡no quiero serlo!

—Muy bien. —El muchacho volvió a meterse en el

bote de un salto, con las mejillas coloradas de rabia—. No volveré a pedirte que seamos amigos, Ana Shirley. ¡Ya me da igual!

Él se alejó remando con rapidez y Ana mantuvo la cabeza muy alta a pesar de sentir algo parecido al remordimiento. Casi desearía haberle dado una respuesta distinta a Gilbert.

Ya en el sendero, se encontró a Jane y Diana, que regresaban al estanque en un estado de nervios cercano a la histeria. No habían encontrado a nadie en casa de Diana, puesto que tanto el señor como la señora Barry habían salido. Allí, Ruby se había venido abajo de la angustia y había comenzado a llorar sin control, pero Diana y Jane habían tenido que dejarla sola para marcharse corriendo a Las Tejas Verdes, donde tampoco habían encontrado a nadie.

—Ay, Ana. —Diana lloraba y la abrazaba con alivio—. Oh, Ana... creíamos... que... te habías... ahogado... y nos sentíamos... como asesinas... porque te habíamos... obligado a hacer de... Elaine. Y Ruby está histérica. ¿Cómo has conseguido escapar?

—Trepé por uno de los pilares —explicó Ana agotada—, y luego Gilbert Blythe apareció en el bote del señor Andrews y me acercó a la orilla.

—¡Oh, Ana! ¡Qué romántico! —exclamó Jane, que por fin había recuperado el aliento—. Por supuesto, volverás a dirigirle la palabra después de esto.

—¡Pues claro que no! —le espetó Ana recobrando su espíritu combativo—. Y no quiero volver a oír la palabra «romántico» en mi vida, Jane Andrews. Siento mucho que os hayáis asustado tanto, chicas. Es todo culpa mía. Está claro que tengo muy mala suerte: todo lo que hago termina metiéndonos en un lío a mí o a mis amigos. Hemos hundido la plataforma, Diana, y tengo la sensación de que no van a volver a dejarnos jugar en el estanque.

El presentimiento de Ana resultó ser muy cierto. Los Barry y los Cuthbert se asustaron mucho cuando se enteraron de lo sucedido aquella tarde.

—¿Entrarás en razón alguna vez, Ana? —gruñó Marilla.

—Sí, creo que sí, Marilla —contestó la muchacha con optimismo. Tras desahogarse llorando en la soledad de su buhardilla, Ana se había calmado y volvía a ser la niña alegre de siempre—. Creo que mis posibilidades de convertirme en una persona sensata son ahora más altas que nunca.

—No entiendo por qué.

—Bueno —explicó Ana—, hoy he aprendido una lección muy importante. Desde que llegué a Las Tejas Verdes no he parado de cometer errores, y cada uno de ellos me ha ayudado a superar un gran defecto. El asunto del Bosque Encantado, por ejemplo, me enseñó que no debo dejar que mi imaginación se desboque. Y el fallo que he cometido hoy me enseñará a no ser demasiado romántica. He llegado a la conclusión de que no tiene sentido intentar ser romántica en Avonlea. Seguramente, hace cientos de años y encerrada en una torre de Camelot me habría resultado más sencillo, pero hoy en día ya no se aprecia el romanticismo. Seguro que pronto notarás una gran mejoría en mí a ese respecto, Marilla.

—Eso espero —dijo la mujer con escepticismo.

Pero Matthew, que había presenciado la escena en silencio, le puso una mano en el hombro a Ana cuando Marilla se marchó.

—No abandones tu romanticismo por completo, Ana —le susurró con timidez—, un poco está bien, aunque no demasiado, claro... Conserva un poquito de romanticismo, Ana, solo un poquito.

CAPÍTULO 12

UNA ÉPOCA MARAVILLOSA EN LA VIDA DE ANA

UNA TARDE DE SEPTIEMBRE, ANA VOLVÍA A CASA con las vacas desde el prado de atrás. La muchacha iba disfrutando de la luz violácea del atardecer y recitando en voz alta uno de los poemas heroicos que la señorita Stacy les había hecho aprenderse el curso anterior. Al llegar a sus versos favoritos, se detuvo y cerró los ojos para concentrarse aún más en ellos. Cuando volvió a abrirlos, fue para ver a Diana cruzando la verja que llevaba al campo de los Barry. Su amiga caminaba dándose unos aires de importancia que hicieron que Ana averiguara de inmediato que tenía noticias que contarle. Sin embargo, la muchacha se negó a demostrar la curiosidad que la invadió al instante.

—¿No hace una tarde preciosa, Diana?

—Sí, una tarde muy bonita, pero tengo una noticia muy importante, Ana. Adivínala. Tienes tres oportunidades.

—Charlotte Gillis se casa al fin y la señora Allan quiere que decoremos la iglesia —gritó Ana.

—No, aunque habría sido divertido. Vamos, inténtalo otra vez.

—¿La madre de Jane va a permitirle celebrar una fiesta de cumpleaños?

Diana negó con la cabeza y un brillo de alegría en los ojos.

—No tengo ni idea de qué puede ser —reconoció Ana desesperada—, a no ser que Moody Spurgeon MacPherson te acompañara a casa ayer por la noche. ¿Es eso?

—¡Pues claro que no! —exclamó su amiga indignada—. Y tampoco presumiría de ello si fuera verdad, ¡es una criatura horrible! Sabía que no lo adivinarías. Mi madre ha recibido una carta de la tía Josephine. ¡Quiere que las dos vayamos a la ciudad el próximo martes y pasemos unos días con ella para ir a la feria de agricultura y artesanía!

—Oh, Diana —susurró Ana, que necesitó apoyarse contra el tronco de un árbol para no caerse—. ¿Lo dices en serio? Pero me temo que Marilla no me dejará ir. Dirá que no puede alentar mis vagabundeos. Es lo que me dijo la semana pasada cuando Jane me invitó a acompañarla al concierto del Hotel White Sands. Me dijo que estaría mejor en casa estudiando. Me disgusté tanto que aquella noche ni siquiera recé antes de acostarme. Pero luego me arrepentí.

—¿Sabes qué? —dijo Diana—, le pediremos a mi madre que se lo diga a Marilla, así habrá más posibilidades de que te deje ir. ¡Nos lo pasaremos genial, Ana! Yo nunca he ido a la feria, y es muy molesto oír hablar a las demás sin poder intervenir. Jane y Ruby ya han estado dos veces, y este año irán de nuevo.

—No voy a pensar en ello hasta que sepa si puedo ir o no —aseguró Ana muy decidida—. Pero, en caso de que me dejen ir, me alegro mucho de que mi abrigo nuevo vaya a estar listo para entonces. Marilla creía que no necesitaba un abrigo nuevo, que el viejo me serviría perfectamente para otro invierno y que tendría que conformarme con estrenar un vestido. El vestido es precioso, azul marino y a la última moda. Ahora Marilla siempre me hace los vestidos a la moda, porque dice que no quiere que Matthew recurra a la señora Lynde para que me los confeccione. Me alegro un montón, porque es mucho más sencillo ser buena con vestidos bonitos. Sin embargo, Matthew insistió en que debía tener un abrigo nuevo, así que Marilla compró una tela azul preciosa y me lo está haciendo una auténtica modista de Carmody. Estará listo el sábado, e intento no imaginarme entrando el domingo en la iglesia con mi ropa y mi gorro nuevos, pero no siempre lo consigo. El gorro me lo compró Matthew un día que fuimos a Carmody. Tu sombrero nuevo también es muy elegante, Diana. Cuando lo estrenaste el domingo pasado me sentí muy orgullosa de que seas mi mejor amiga. ¿Crees que está mal que pensemos tanto en la ropa? Marilla dice que es horrible, pero es que es un tema muy interesante, ¿no te parece?

Marilla le dio permiso para ir a la ciudad y el señor Barry se comprometió a llevarlas a Charlottetown el martes siguiente. Tenían que salir muy temprano, así que Ana se levantó antes del amanecer y miró por la ventana para asegurarse de que haría buen día. Se vistió y preparó el desayuno antes de que Marilla bajara, pero la niña fue incapaz de comer a causa de los nervios. En cuanto se puso el abrigo y el gorro nuevos, Ana salió corriendo hacia Ladera del Huerto. El señor Barry y Diana la estaban esperando y los tres se pusieron en marcha enseguida.

Era un viaje largo, pero las niñas lo disfrutaron al máximo. A veces el camino atravesaba bosques de arces cuyas hojas comenzaban a enrojecer; en ocasiones cruzaba ríos sobre puentes que a Ana le ponían la piel de gallina; en algunos momentos se acercaba a un puerto de mar y dejaba atrás un pequeño grupo de cabañas de pescadores. Llegaron a la ciudad casi a mediodía. Beechwood era una mansión antigua y rodeada de árboles que la aislaban de la calle. La señorita Barry las recibió en la entrada con los ojos brillantes.

—¡O sea que por fin has venido a verme, niña Ana! —exclamó—. Madre mía, criatura, cómo has crecido. Y estás mucho más guapa que antes. Pero seguro que eso ya lo sabías sin que nadie te lo dijera.

—Pues en realidad no tenía ni idea —contestó Ana encantada—. Sí me he dado cuenta de que tengo menos pecas, y eso ya es mucho, pero no me había atrevido a pensar que hubiera más mejoras.

La casa de la señorita Barry estaba decorada con «gran magnificencia», como Ana le explicaría a Marilla más tarde. Las dos niñas se quedaron perplejas ante el esplendor de la salita donde la señorita Barry las dejó un momento a solas.

—Es como un palacio —susurró Diana—. Nunca había estado en casa de la tía Josephine, no tenía ni idea de que fuera así.

—Alfombras de terciopelo y cortinas de seda —suspiró Ana con admiración—. Siempre he soñado con este tipo de cosas, Diana, pero creo que, al final, no me siento muy cómoda con ellas. En esta salita hay tantas cosas y tan lujosas que no queda espacio para la imaginación.

Su estancia en la ciudad fue algo que las niñas recordarían durante años. Estuvo plagada de emociones de principio a fin.

El miércoles, la señorita Barry las llevó a la feria de agricultura y artesanía y pasaron allí todo el día.

—Fue maravilloso —le contó Ana a Marilla más tarde—. Nunca me había imaginado nada tan interesante. Creo que las secciones que más me gustaron fueron la de los caballos, la de las flores y la de costura. El señor Bell ganó el primer premio con su cerdo, y la señora Lynde también se llevó un premio por su mantequilla y su queso caseros, así que Avonlea estuvo bien representada, ¿no crees? Nunca me había dado cuenta del cariño que le tengo a la señora Lynde hasta que vi su cara entre la de todos aquellos extraños. Había miles de personas allí, Marilla, me sentí insignificante. Y la señorita Barry nos llevó a ver las carreras de caballos. La señora Lynde no quiso ir, dijo que eran una abominación y que ella debía dar ejemplo y mantenerse alejada del hipódromo. Pero allí había tanta gente que no creo que nadie notara la ausencia de la señora Lynde. De todas formas, me parece que yo no debería ir a menudo a las carreras de caballos, porque son fascinantes. Diana se emocionó tanto que hasta quiso apostar conmigo, pero yo me negué, porque quería poder contárselo todo a la señora Allan y estaba segura de que eso no se lo habría contado. Siempre está mal hacer algo que no le contarías a la esposa del pastor. Que sea mi amiga es como tener una segunda conciencia. Vimos a un hombre volar en globo. Me encantaría montarme en un globo, Marilla. La señorita Barry también nos dio una moneda a cada una para que nos leyeran el futuro en las líneas de la mano. A mí me dijeron que me casaría con un hombre moreno y muy rico y que me iría a vivir al otro lado del agua. Después de eso me fijé en todos los hombres morenos que vi, pero ninguno me pareció interesante y, de todas maneras, imagino que todavía es muy pronto para empezar a buscarlo. ¡Fue un día inolvidable, Marilla! La señorita Barry cumplió su promesa y nos alojó en la habitación de invitados. Era muy elegante, pero por alguna razón dormir en la habitación de invitados no es lo que pensaba que era. Me estoy dando cuenta de que es lo peor de hacerse mayor: las cosas que tanto deseabas cuando eras pequeña no parecen ni la mitad de maravillosas cuando las consigues.

El jueves las niñas salieron a pasear por el parque, y por la tarde la señorita Barry las llevó al concierto de una famosa cantante de ópera en la Academia de Música. Para Ana, aquella velada fue espectacular.

—Oh, Marilla, no tengo palabras. Estaba tan emocionada que ni siquiera podía hablar, así que imagínate cómo fue. La cantante era guapísima y llevaba

joyas de diamantes, pero en cuanto empezó a cantar no pude pensar en otra cosa. Me sentí como cuando miro las estrellas y me dio la sensación de que ya nunca más me volvería a costar ser buena. Me dio mucha pena que se acabara y le dije a la señorita Barry que no sabía cómo iba a ser capaz de volver a la vida normal. Ella me contestó que si íbamos al restaurante de enfrente a comernos un helado, seguramente me ayudaría. El helado estaba buenísimo, y fue fantástico sentarse a comerlo a las once de la noche. Diana comentó que creía que había nacido para la vida en la ciudad, y la señorita Barry me preguntó mi opinión al respecto, pero yo le dije que tendría que pensarlo bien antes de darle una respuesta. Así que lo medité cuando me fui a la cama y llegué a la conclusión de que yo no he nacido para la vida en la ciudad, y me alegro. Está bien hacer esas cosas de vez en cuando, pero, por norma general, a las once prefiero estar en la buhardilla profundamente dormida y aun así consciente de que las estrellas brillan en el cielo y el viento sopla entre los árboles del otro lado del arroyo. Se lo expliqué a la señorita Barry durante el desayuno al día siguiente y se echó a reír. Siempre se reía de todo lo que le decía, incluso cuando le hablaba muy en serio. No me gustaba, Marilla, porque yo no pretendía ser graciosa. Pero es una señora muy hospitalaria y nos ha tratado muy bien.

El señor Barry fue a recoger a las niñas el viernes.

—Espero que os lo hayáis pasado bien —dijo la señorita Barry cuando se despidió de ellas.

—Claro que sí —contestó Diana.

—¿Y tú, niña Ana?

—He disfrutado de cada segundo —respondió ella y, obedeciendo un impulso, rodeó a la anciana con los brazos y la besó en la mejilla arrugada.

Diana nunca se habría atrevido a hacer algo así y, de hecho, la espontaneidad de Ana la horrorizó, pero la señorita Barry se puso contenta. Cuando la calesa se alejó, la mujer volvió a entrar en la casa con un suspiro, pues le parecía muy solitaria después de la partida de las pequeñas. A decir verdad, la señorita Barry solo valoraba a los demás cuando le resultaban útiles o la divertían. Precisamente por eso tenía a Ana en alta estima, pero cada vez pensaba menos en los extraños discursos de la muchacha y más en su entusiasmo y dulzura.

«Cuando me enteré de que Marilla Cuthbert había adoptado a una niña de un orfanato pensé que era una vieja loca —se dijo a sí misma—, pero ahora creo que no se equivocó del todo. Si yo tuviera a una cría como Ana siempre en casa sería una persona mejor y más feliz».

Ana y Diana disfrutaron del camino de vuelta tanto como del de ida; más, en realidad, puesto que

sabían que al final del trayecto las esperaba su hogar. Llegaron a Avonlea al anochecer.

—¡Qué felicidad volver a casa! —suspiró Ana.

En cuanto cruzaron el puente, la luz de la cocina de Las Tejas Verdes la saludó con un guiño, y el resplandor del fuego de la chimenea le dio la bienvenida a través de la puerta abierta. Ana entró corriendo para encontrarse con la cena esperándola.

—¿Ya habéis llegado? —preguntó Marilla mientras recogía su labor de costura.

—Sí, y ¡es genial estar de vuelta! —exclamó Ana encantada—. ¡Oh, Marilla, pollo asado! No lo habrás cocinado para mí, ¿verdad?

—Pues claro que sí —contestó ella—. Pensé que tendrías hambre después de un viaje tan largo. Sube rápido a dejar tus cosas, cenaremos en cuanto llegue Matthew. Debo reconocer que me alegro de que hayas vuelto. Estos días se me han hecho muy largos, nos sentíamos muy solos aquí sin ti.

Después de cenar, Ana se sentó frente al fuego entre Matthew y Marilla y les contó su estancia en la ciudad con todo lujo de detalles.

—Me lo he pasado muy bien —concluyó alegremente—, y creo que marcará una época en mi vida. Pero lo mejor de todo ha sido volver a casa.

CAPÍTULO 13

SE ORGANIZA LA CLASE DE PREPARACIÓN PARA LA UNIVERSIDAD

MARILLA DEJÓ SU LABOR DE COSTURA Y SE RECOSTÓ en la silla. Tenía la vista cansada y pensó que la próxima vez que fuera a la ciudad tendría que aprovechar para cambiarse las gafas.

Era noviembre y ya casi había anochecido. La cocina solo estaba iluminada por el fuego del hogar, frente al que Ana dormía tumbada sobre la alfombra. Había estado leyendo, pero el libro se le había caído al suelo y en aquellos momentos soñaba, con una sonrisa dibujada en los labios. Marilla la miró con una ternura que jamás se habría permitido mostrar a la luz del día. La mujer, aunque no lo expresara con palabras, había aprendido a querer a aquella muchacha con tanta intensidad que hasta tenía miedo de tratarla con demasiada blandura. Quizá por eso se

mostraba más estricta y crítica con ella de lo que lo habría sido si no la quisiera tanto. Lo que estaba claro era que Ana no tenía ni idea de hasta qué punto la adoraba Marilla. A veces la muchacha pensaba con tristeza en lo difícil que era complacer a aquella mujer, en lo poco comprensiva y tolerante que era, pero enseguida apartaba esas ideas de su cabeza pensando en todo lo que le debía.

—Ana —dijo Marilla de pronto—, la señorita Stacy ha venido esta tarde cuando estabas fuera con Diana.

La muchacha se despertó son un respingo y un suspiro.

—¿Ah, sí? Siento no haber estado en casa. ¿Por qué no me llamaste, Marilla? Diana y yo estábamos en el Bosque Encantado, que en esta época está precioso. Hemos ido allí para reflexionar acerca de la posibilidad de prometernos la una a la otra que nunca nos casaremos y que viviremos juntas para siempre como dos viejas solteronas. Diana todavía no ha tomado una decisión, porque piensa que tal vez sea más noble casarse con algún joven salvaje y malvado y reformarlo. Ahora Diana y yo hablamos mucho de cuestiones serias, ¿sabes? Somos más mayores que antes, así que no es apropiado que hablemos de cosas infantiles. Estar a punto de cumplir catorce es un asunto de gran importancia. El miércoles pasado, la señorita Stacy nos reunió a todas junto al arroyo

para hablarnos de ello. Nos dijo que debemos prestar mucha atención a los hábitos y los valores que adquirimos a esta edad, porque serán la base de toda nuestra vida futura. Y si la base es débil, jamás podremos construir sobre ella nada que merezca la pena. Diana y yo comentamos la cuestión mientras volvíamos a casa y decidimos que, en efecto, aprenderemos todo lo que podamos y seremos lo más sensatas posible. Pero ¿a qué ha venido la señorita Stacy?

—Eso es lo que quiero contarte, si es que me dejas hablar. Quería hablar de ti.

—¿De mí? —Ana pareció asustarse. Entonces se puso colorada y exclamó—. ¡Ay, ya sé qué quería! Tenía intención de contártelo, Marilla, pero se me ha olvidado. Ayer la señorita Stacy me pilló leyendo una novela en el colegio cuando debía haber estado estudiando historia. Había estado leyéndola durante la hora de la comida, y estaba tan emocionante cuando empezó la clase, que fui incapaz de dejarla, así que puse el libro de historia encima del pupitre y la novela entre el pupitre y mi regazo para que pareciera que estaba estudiando cuando en realidad estaba leyendo. No sabes qué vergüenza pasé cuando la señorita Stacy me pilló, Marilla. Me quitó la novela, pero en ese momento no me dijo nada. En el recreo me pidió que fuera a hablar con ella y me dijo que había hecho muy mal dos cosas: en primer lugar, desperdiciar un

tiempo que debería haber dedicado a mis estudios, y en segundo lugar, engañar a mi profesora. Hasta ese momento no me di cuenta de que lo que estaba haciendo era tan malo. Me quedé de piedra. Lloré mucho y le pedí a la señorita Stacy que me perdonara, le prometí que no volvería a hacerlo y que, como penitencia, no volvería a tocar la novela en toda una semana. Pero la señorita Stacy me dijo que no era necesario y me perdonó enseguida. Así que creo que, después de eso, no ha estado muy bien por su parte venir aquí a contártelo.

—La señorita Stacy ni siquiera me lo ha mencionado, Ana, lo que pasa es que te sientes culpable. Lees demasiadas novelas, y no tiene ningún sentido que también te las lleves al colegio.

—¡Pero si jamás leo ningún libro que la señorita Stacy o la señora Allan consideren que no es adecuado para una niña de trece años y tres cuartos! La señorita Stacy me hizo prometérselo y lo he cumplido. Es increíble, Marilla, lo que eres capaz de hacer cuando te mueres de ganas de agradar a alguien.

—Bueno, me parece que voy a encender la lámpara y a seguir cosiendo, porque está claro que no quieres oír lo que la señorita Stacy ha venido a decirme, te interesa más el sonido de tu propia voz.

—¡Qué va, Marilla! ¡Claro que quiero saberlo! —gritó Ana arrepentida—. No volveré a abrir la boca,

ni una palabra más. Sé que hablo demasiado, pero me estoy esforzando mucho por superarlo. Y aunque digo demasiadas cosas, si supieras cuántas más quiero decir, me reconocerías algo de mérito. Por favor, cuéntamelo, Marilla.

—Bien, la señorita Stacy va a organizar una clase de apoyo a aquellos alumnos que quieran prepararse para el examen de acceso a la universidad. Tiene intención de darles una hora más de clase después del colegio. Y ha venido a preguntarnos a Matthew y a mí si nos gustaría que te sumaras. ¿Qué te parece a ti, Ana? ¿Te gustaría ir a la universidad y convertirte en profesora?

—¡Oh, Marilla! —Ana se puso de rodillas y juntó las manos—. ¡Siempre ha sido el sueño de mi vida! Bueno, el de los últimos seis meses, desde que Ruby y Jane empezaron a hablar de estudiar para el examen de acceso. Pero no había dicho nada porque pensaba que sería inútil. ¡Me encantaría ser profesora! Pero ¿no será demasiado caro?

—No tienes que preocuparte por eso. Cuando Matthew y yo decidimos criarte, acordamos que haríamos todo lo que pudiéramos por ti y por darte una buena educación. Siempre tendrás un hogar en Las Tejas Verdes mientras Matthew y yo estemos aquí, pero nadie sabe lo que puede pasar en este mundo incierto, así que creo que deberías estar preparada para ganarte la vida por ti misma. Por lo tanto, si quieres, puedes unirte a la clase de preparación para la universidad, Ana.

—¡Muchas gracias, Marilla! —Ana le rodeó la cintura con los brazos y levantó la mirada hacia la mujer—. Os estoy muy agradecida a Matthew y a ti. Estudiaré todo lo que pueda para que estéis orgullosos de mí. Te advierto que no debéis esperar mucho en geometría, pero creo que si me esfuerzo podré conseguir que todo lo demás se me dé bien.

—Por lo que dice la señorita Stacy, creo que no tendrás problemas. —Marilla no le habría repetido a Ana por nada del mundo las palabras que su profesora había dicho de ella, porque eso habría sido alentar su vanidad—. No hay prisa. No estarás preparada para presentarte al examen de acceso hasta dentro de año y medio, pero la señorita Stacy dice que conviene empezar con tiempo.

—Ahora estudiaré más que nunca —aseguró Ana encantada—, porque tengo un propósito en la vida. El señor Allan dice que todo el mundo debería tener un propósito en la vida y perseguirlo sin descanso, aunque antes hay que asegurarse de que sea un buen propósito. Yo creo que querer convertirme en profesora es un propósito digno, ¿no te parece, Marilla?

Llegado el momento, Gilbert Blythe, Ana Shirley, Ruby Gillis, Jane Andrews, Josie Pye, Charlie Sloane y

Moody Spurgeon MacPherson se unieron a la clase de preparación para el acceso a la universidad. Diana Barry no lo hizo, puesto que sus padres no tenían intención de enviarla a estudiar a la ciudad. A Ana aquello le parecía una tragedia. Desde la noche en que salvó a Minnie May, su amiga y ella no se habían separado. La primera tarde que Ana se quedó a la hora de clase extra y vio a Diana marcharse a casa sola, le costó contenerse y no salir corriendo detrás de ella.

—Marilla, de verdad creo que, cuando he visto a Diana alejarse, he sentido en la boca el sabor amargo de la muerte, como dijo el señor Allan en su sermón del domingo pasado —aseguró con tristeza aquella noche—. Sería estupendo que Diana también fuera a estudiar para el examen de acceso, pero las cosas no pueden ser perfectas en este mundo imperfecto, como dice la señora Lynde. Y creo que la clase de preparación va a ser muy interesante. Jane, Ruby y Josie van a estudiar para ser profesoras, pero Josie dice que ella nunca ejercerá, porque no tendrá necesidad. También comenta que para las huérfanas que viven de la caridad es distinto, que ellas sí tienen que espabilarse. Moody Spurgeon va a ser pastor. Espero que no pienses que soy mala, Marilla, pero cuando pienso en Moody Spurgeon dando un sermón me entra la risa. Aunque a lo mejor cuando sea mayor tiene un aspecto más intelectual. Charlie Sloane dice que se va a dedicar a la política, pero la señora Lynde afirma que no sabe si lo conseguirá.

—¿Y a qué va a dedicarse Gilbert Blythe? —preguntó Marilla al ver que Ana abría su libro de latín.

—Pues no tengo ni idea de cuáles son las ambiciones de ese chico en la vida, si es que tiene alguna —contestó Ana con cierto desdén.

A aquellas alturas, la rivalidad entre Gilbert y Ana era más que evidente; ya no cabía duda de que el muchacho estaba tan decidido como ella a ser el primero de la clase, y era un enemigo y rival más que digno. El resto de los miembros de la clase reconocían tácitamente la superioridad de los dos y ni siquiera soñaban con competir con ellos.

Desde el día del estanque, Gilbert, salvo por la ya mencionada rivalidad, no había vuelto a reconocer siquiera la existencia de Ana Shirley, y esta se había dado cuenta de que no es agradable que te ignoren. Se decía a sí misma que no le importaba, pero no era verdad. En lo más profundo de su ser sabía que si volviera a presentársele la oportunidad de aceptar la amistad de Gilbert, la aprovecharía. Ana se había dado cuenta de que su resentimiento hacia el chico había desaparecido por completo. Era del todo consciente de que, sin saberlo, había olvidado y perdonado todo lo que les había separado en el pasado, pero ya era demasiado tarde.

Pero nadie, ni Gilbert ni ninguna otra persona, ni siquiera Diana, debía sospechar jamás lo arrepentida que estaba ni cuánto le habría gustado no haberse mostrado tan orgullosa el día que la rescató en el estanque. Ana decidió ocultar sus sentimientos, y lo hizo tan bien que Gilbert, que en realidad no la ignoraba tanto como quería aparentar, no encontraba consuelo.

Por lo demás, el invierno pasó tranquilamente entre deberes y estudios. La primavera llegó de nuevo a Las Tejas Verdes casi antes de que Ana pudiera darse cuenta, y el mundo floreció una vez más. Los estudios se volvieron más aburridos, porque debido a la clase

de preparación a la universidad, Ana se quedaba encerrada en el colegio mientras los demás salían a jugar en prados verdes y campos de flores. Por eso, tanto la profesora como los alumnos se alegraron cuando el trimestre terminó y llegaron las vacaciones.

—Habéis hecho un buen trabajo este curso —les dijo la señorita Stacy la última tarde—, y os merecéis unas buenas vacaciones. Disfrutad al aire libre y coged fuerzas para el año que viene, que será el último antes del examen de acceso.

—¿Volverá el curso que viene, señorita Stacy? —quiso saber Josie Pye, y el resto de la clase se lo agradeció, porque nadie se habría atrevido a preguntárselo a pesar de que todos estaban deseándolo debido a los inquietantes rumores que habían circulado últimamente.

—Sí, creo que sí —contestó la profesora—. Había pensado en marcharme a otra escuela, pero he decidido volver a Avonlea.

—¡Hurra! —exclamó Moody Spurgeon, que nunca se dejaba llevar por sus sentimientos de esa manera y se pasó una semana poniéndose colorado cada vez que se acordaba.

—¡Cómo me alegro! —dijo Ana con los ojos brillantes—. Sería horrible si no regresara, señorita Stacy, creo que no sería capaz de seguir con mis estudios si viniera otro profesor.

Cuando Ana volvió a casa aquella noche, metió todos sus libros en un baúl del desván y lo cerró con llave.

—No pienso ni mirarlos durante las vacaciones —le dijo a Marilla—. He estudiado un montón durante todo el trimestre, me he esforzado tanto con la geometría que ya casi la entiendo. Estoy cansada de todas esas cosas sensatas, así que voy a dejar volar mi imaginación durante todo este tiempo. No pongas esa cara de susto, Marilla, solo la dejaré volar dentro de unos límites razonables, pero quiero pasármelo muy bien este verano, porque puede que sea el último de mi infancia. La señora Lynde dice que si el año que viene sigo creciendo al mismo ritmo que este, tendré que empezar a ponerme faldas largas. Y entonces ya no será apropiado que crea en las hadas, así que este verano voy a creer en ellas con todas mis fuerzas. Creo que vamos a pasárnoslo muy bien estas vacaciones. Ruby Gillis va a dar una fiesta de cumpleaños muy pronto, y el mes que viene se celebrarán el pícnic de catequesis y el concierto. Y la señora Barry dice que una noche nos llevará a Diana y a mí al Hotel White Sands para cenar allí.

Al día siguiente, la señora Lynde fue a preguntar por qué Marilla no había acudido a la reunión de la iglesia el jueves por la tarde. Todo el mundo sabía que si Marilla faltaba a una de esas reuniones era porque algo no iba bien en Las Tejas Verdes.

—Matthew se puso enfermo el jueves —explicó Marilla—, y no quise dejarlo solo. Sí, ya está bien, pero cada vez padece más del corazón y estoy preocupada por él. El médico dice que tiene que evitar las emociones y el trabajo duro, y ya sabes que Matthew es incapaz de dejar de trabajar. Entra y deja tus cosas, Rachel, ¿te quedas a tomar el té?

—Bueno, ya que insistes, me quedaré —contestó la señora Rachel, a quien ni se le había pasado por la cabeza marcharse sin merendar.

Las dos mujeres se sentaron en la salita mientras Ana les preparaba el té y unas galletas que desafiaron incluso las críticas de la señora Lynde.

—Debo reconocer que al final Ana ha salido muy lista —reconoció la señora Rachel cuando ya se marchaba—. Debe de ayudarte mucho.

—Es cierto —admitió Marilla—, ahora es una chica de fiar. Antes me daba miedo que no fuera capaz de librarse de los pájaros que tenía en la cabeza, pero lo ha conseguido y confío en ella.

—Cuando estuve aquí hace tres años, ni siquiera habría podido imaginarme que fuera a salirte tan bien —dijo la señora Rachel—. Cuando volví a casa aquella noche le dije a Thomas: «Recuerda lo que voy a decirte, Thomas, Marilla Cuthbert vivirá para arrepentirse del paso que ha dado». Pero me equivoqué, y me alegro mucho. Cometí un error al juzgar a

Ana, y yo nunca he sido de las que no reconocen sus errores. Pero es que era una niña rarísima, no había forma de aplicarle las mismas normas que a los demás críos. Es maravilloso cómo ha mejorado a lo largo de estos tres años, especialmente en cuanto a su aspecto. Es una niña preciosa, aunque yo prefiero a las que tienen algo más de color, como Diana Barry o Ruby Gillis. Sin embargo, por algún motivo, cuando Ana está con ellas, aunque no sea ni la mitad de guapa, las hace parecer un poco vulgares y exageradas.

CAPÍTULO 14

DONDE SE ENCUENTRAN EL RÍO Y EL ARROYO

ANA DISFRUTÓ AL MÁXIMO DE UN VERANO EN EL que Diana y ella pasaron muchísimo tiempo al aire libre. Marilla no puso objeciones a los vagabundeos de la chica, porque, a principios de verano, el doctor que había acudido a casa de los Barry la noche en que Minnie May estuvo a punto de morir se cruzó con Ana en casa de un paciente y, a través de otra persona, le envió a la señorita Cuthbert el siguiente mensaje: «Que esa niña pelirroja suya esté todo el verano al aire libre, y no le permita leer más libros hasta que recupere la energía».

Marilla se asustó muchísimo cuando lo recibió, pues se convenció de que Ana se pondría enferma si no seguía al pie de la letra las instrucciones del médico. Como resultado, la muchacha pasó el mejor verano de su vida en lo que a libertad y juegos se refiere.

Cuando llegó septiembre, a Ana le brillaban los ojos, tenía una energía que sin duda habría satisfecho al doctor y el corazón de nuevo lleno de ambición y entusiasmo.

—Me apetece muchísimo volver a estudiar—aseguró cuando bajó sus libros del desván—. Eh, viejos amigos, me alegro de veros las caras otra vez... Sí, incluso a ti, geometría. He pasado un verano maravilloso, Marilla, y ahora estoy fuerte como un toro. El señor Allan utilizó esa expresión en su sermón el domingo pasado. Yo creo que sus sermones son magníficos, y la señora Lynde dice que cada día lo hace mejor y que, antes de que nos demos cuenta, alguna iglesia de la ciudad nos lo robará y tendremos que volver a acostumbrarnos a un predicador torpe. Pero no entiendo qué sentido tiene adelantarse a los acontecimientos, ¿no crees, Marilla? Me parece que lo mejor es disfrutar del señor Allan mientras esté con nosotros. Si yo fuera un hombre, creo que me haría pastor. ¿Por qué las mujeres no pueden ser pastoras, Marilla? Se lo pregunté a la señora Lynde y se quedó de piedra, me dijo que sería algo escandaloso. Me explicó que cree que en Estados Unidos sí hay mujeres pastoras, pero que gracias a Dios en Canadá todavía no hemos llegado a eso,

y que espera que no lleguemos nunca. Pero yo no lo entiendo. En mi opinión las mujeres serían unas pastoras espléndidas. Estoy segura de que la señora Lynde reza tan bien como el superintendente Bell, y que con un poco de práctica también podría predicar.

—Sí, yo también estoy segura —replicó Marilla secamente—, porque ya predica bastante sin que nadie se lo pida. No hay manera de que una persona cometa un error en Avonlea sin que Rachel le suelte un sermón.

—Marilla, quiero contarte algo y pedirte tu opinión al respecto —dijo Ana en un arrebato de confianza—. Me ha tenido muy preocupada... los domingos por la tarde, es decir, cuando pienso en estas cosas. Tengo muchas ganas de ser buena, y cuando estoy contigo, con la señora Allan o con la señorita Stacy, lo deseo más que nunca. Sin embargo, cuando estoy con la señora Lynde me vuelvo muy traviesa y me entran ganas de ponerme a hacer todas las cosas que ella me dice que no debería hacer. La tentación es terrible. ¿Por qué crees que me pasa? ¿Crees que es porque soy malísima e incorregible?

Durante un instante, Marilla pareció dubitativa; a continuación, rompió a reír.

—Entonces yo también lo soy, Ana, porque Rachel también me hace sentir así. A veces pienso que

tendría más capacidad de influir para el bien, como tú dices, si dejara de agobiar a todo el mundo para que actuase correctamente. Pero no debería hablar así de ella. Rachel es una buena mujer, y lo hace sin mala intención.

—Me alegro mucho de que te sientas igual que yo —aseguró Ana convencida—. Ya no me preocuparé tanto por ello a partir de ahora, aunque estoy segura de que habrá otras cosas por las que inquietarse, porque no paran de surgir problemas nuevos. Solucionas uno e, inmediatamente después, aparece otro distinto. Hay muchos asuntos sobre los que pensar y decidir cuando empiezas a crecer. Crecer es una cuestión muy seria, ¿verdad, Marilla? Pero teniendo unos amigos tan buenos como tú, Matthew, la señora Allan y la señorita Stacy, debería ser capaz de lograrlo sin dificultad, así que si no lo consigo sabré que es solo culpa mía. Si no lo hago bien, no podré volver atrás y comenzar de nuevo. Me alegro de que me hicieras los vestidos nuevos más largos, Marilla. El verde oscuro es precioso, y fue todo un detalle que le pusieras un volante. Ya sé que no era necesario, pero están muy de moda, y estoy convencida de que estudiaré mejor sabiendo que lo tengo.

—Entonces ha merecido la pena —reconoció con sinceridad Marilla.

La señorita Stacy regresó a la escuela de Avonlea

y se encontró a todos sus alumnos dispuestos a trabajar una vez más, sobre todo a la clase de preparación para la universidad, pues la sombra del examen de acceso que les esperaba al final de aquel curso se cernía ya sobre ellos. ¿Y si no aprobaban? Ese pensamiento persiguió a Ana a lo largo de todos y cada uno de los días de aquel invierno, hasta tal punto que casi eclipsó por completo todos sus demás dilemas teológicos y morales. En sus pesadillas, la muchacha se descubría repasando listas de aprobados en las que el nombre de Gilbert Blythe figuraba el primero y el de ella ni siquiera aparecía.

Pero aun así el invierno pasó volando. Las clases eran interesantes, y su rivalidad con Gilbert tan absorbente como de costumbre. Ante los ojos curiosos de Ana se abrían nuevos mundos de pensamiento, emoción y ambición, campos fascinantes de conocimientos inexplorados.

Gran parte de ello se debía a la orientación cuidadosa y paciente de la señorita Stacy, que animaba a su clase a pensar, explorar y descubrir por sí misma, a apartarse de los caminos establecidos hasta tal punto que resultaba chocante para la señora Lynde y los administradores del colegio, que miraban con desconfianza cualquier innovación respecto a los métodos de toda la vida.

Además de en sus estudios, Ana también mejoró

socialmente, puesto que Marilla, a quien no se le olvidaban los consejos del médico, ya no le impedía salir de vez en cuando a fiestas o conciertos.

Entretanto, la muchacha crecía tan rápido que un día en que estaban la una junto a la otra, Marilla se sorprendió al descubrir que Ana ya era más alta que ella.

—¡Madre mía, Ana, qué alta estás! —exclamó casi sin creérselo, y después suspiró, porque la niña a quien había aprendido a querer se había esfumado casi de repente, sustituida por aquella jovencita de quince años, seria y pensativa.

Marilla seguía queriéndola igual, pero al mismo tiempo experimentaba una extraña sensación de pérdida. Por eso, aquella misma noche, cuando Ana salió con Diana, la mujer se sentó sola en el salón y se permitió desahogarse llorando. Matthew entró por sorpresa con un candil en la mano y la miró con tal consternación que Marilla rio a pesar de las lágrimas.

—Estaba pensando en Ana —le explicó—. Ya es muy mayor... y probablemente se marche de aquí el próximo invierno. La echaré mucho de menos.

—Podrá venir a casa a menudo —la consoló Matthew, para quien Ana todavía era, y siempre seguiría siendo, la pequeña a la que había llevado a casa aquella tarde de junio de hacía cuatro años.

—No será lo mismo que tenerla aquí —replicó Marilla, que estaba decidida a darse el lujo de sufrir sin consuelo.

Aparte de los meramente físicos, se produjeron más cambios en Ana. Por ejemplo, se volvió mucho más callada. A lo mejor pensaba e imaginaba tanto como siempre, pero, sin duda, hablaba menos. Marilla se dio cuenta y se lo comentó:

—Ya no charlas ni la mitad de lo que solías hacerlo, Ana, ni utilizas palabras rimbombantes. ¿Qué te ha pasado?

Ana se puso colorada y se echó a reír mientras miraba por la ventana hacia el sol primaveral.

—No lo sé, ya no tengo tantas ganas de hablar —dijo dándose unos golpecitos pensativos con el dedo índice en la barbilla—. Es mejor tener pensamientos bonitos y guardárselos para uno, como si fueran tesoros. No me gusta que la gente se ría o se asombre de ellos. Y por alguna razón tampoco quiero seguir usando palabras rimbombantes. Es una pena, porque ahora ya soy lo bastante mayor para decirlas. En cierto sentido, es divertido ser casi una adulta, pero no es el tipo de diversión que me esperaba, Marilla. Hay mucho que aprender y que pensar, así que no hay tiempo para palabras largas. Además, la señorita Stacy dice que las palabras cortas son mucho más fuertes y mejores. Me ha costado mucho acostumbrarme a escribir mis redacciones de esa forma, pero ahora que ya lo he conseguido, me doy cuenta de que es mucho mejor.

—¿Qué ha sido de tu club de los cuentos? Hace mucho que no te oigo hablar de él.

—Ya no existe, no teníamos tiempo para seguir con él y, además, creo que nos habíamos aburrido un poco. De vez en cuando, la señorita Stacy nos pide que escribamos un cuento para practicar, pero solo podemos centrarnos en cosas que podrían ocurrir en Avonlea y en nuestras vidas. Después los critica con mucha dureza, y también nos pide que busquemos nuestros propios errores nosotros solos. Jamás pensé que mis redacciones tuvieran tantos fallos hasta que empecé a buscarlos yo.

—Solo te quedan dos meses para el examen de acceso —señaló Marilla—. ¿Crees que lo aprobarás?

Ana se estremeció.

—No lo sé. A veces pienso que todo irá bien... y luego me entra un miedo terrible. Hemos estudiado mucho y la señorita Stacy nos ha preparado a conciencia, pero es posible que, a pesar de ello, no entremos. Cada uno tiene su punto débil. El mío, por supuesto, es la geometría. En junio, la señorita Stacy nos pondrá un examen tan estricto como el de acceso y nos calificará con la misma dureza para que nos hagamos una idea. Ojalá hubiera pasado ya, Marilla.

Estoy obsesionada, a veces me despierto en mitad de la noche y me pregunto qué haré si no apruebo.

—Pues ir al colegio el próximo curso y volver a intentarlo —dijo Marilla sin preocuparse.

—Uy, no creo que fuera capaz. Suspender sería una tragedia, sobre todo si Gil... si los demás aprueban. Y me pongo tan nerviosa en los exámenes que seguro que la lío.

Ana suspiró y, apartando la mirada de las delicias de la primavera, se sumergió de nuevo en su libro. Habría otras primaveras, pero estaba convencida de que si no aprobaba el examen de acceso, jamás se recuperaría lo suficiente para disfrutarlas.

CAPÍTULO 15

PUBLICAN LA LISTA DE APROBADOS

CON EL FINAL DE JUNIO LLEGARON TAMBIÉN EL FInal del trimestre y el de la estancia de la señorita Stacy en la escuela de Avonlea. Ana y Diana regresaron a casa muy disgustadas aquella tarde. Sus ojos rojos y sus pañuelos húmedos demostraban que las palabras de despedida de la profesora debían de haber sido tan conmovedoras como las que el señor Phillips había pronunciado tres años antes en circunstancias similares. Diana volvió la vista hacia la escuela y suspiró profundamente.

—Da la sensación de que ha sido el final de todo, ¿verdad? —dijo en tono triste.

—Tú no deberías sentirte ni la mitad de mal que yo —replicó su amiga mientras trataba de encontrar, sin éxito, una punta seca en su pañuelo—. A fin de

cuentas, tú volverás el invierno que viene, pero supongo que yo dejo atrás nuestra querida escuela para siempre... si es que tengo suerte, claro.

—No será lo mismo ni por asomo. La señorita Stacy no estará, y seguramente Jane, Ruby y tú tampoco. Tendré que sentarme sola, porque no sería capaz de soportar a ninguna otra compañera de pupitre después de haberte tenido a ti. Nos lo hemos pasado muy bien, ¿no te parece, Ana? Es horrible pensar que todo esto ha terminado.

Dos lágrimas enormes resbalaron por las mejillas de Diana.

—Si dejaras de llorar, yo también lo haría —le suplicó Ana—. En cuanto guardo el pañuelo, te veo a ti empezar de nuevo y yo voy detrás. Como dice la señora Lynde: «Si no puedes mostrarte alegre, muéstrate todo lo alegre que puedas». Además, seguro que al final vuelvo el año que viene. Esta es una de esas ocasiones en las que sé con certeza que no voy a aprobar.

—¡Pero si has tenido unos resultados estupendos en los exámenes de la señorita Stacy!

—Sí, pero en esos exámenes no me ponía nerviosa. Cuando pienso en el de verdad, se me para el corazón. Y encima me ha tocado el número trece; no soy supersticiosa, pero aun así me gustaría que me hubiera tocado otro número.

—Ojalá pudiera ir contigo a la ciudad —suspiró Diana—. Nos lo pasaríamos genial, pero supongo que tendrás que estudiar un montón por las tardes.

—No, la señorita Stacy nos ha hecho prometer que no abriremos ni un libro. Dice que solo serviría para agotarnos y confundirnos, que lo que tenemos que hacer es salir a pasear, no pensar en los exámenes y acostarnos temprano. Es un buen consejo, pero me parece que me va a costar seguirlo. Ha sido todo un detalle por parte de tu tía Josephine invitarme a quedarme en Beechwood mientras hago los exámenes.

—Me escribirás mientras estés fuera, ¿verdad?

—Te escribiré el martes por la noche y te contaré cómo me ha ido el primer día —le prometió Ana.

—Entonces el miércoles asaltaré la oficina de correos —aseguró Diana.

Ana se marchó a la ciudad al lunes siguiente y, tal como habían acordado, Diana se plantó el miércoles en la oficina de correos a recoger la carta.

Querida Diana (escribió Ana):

Ya es martes por la noche, y te escribo desde la biblioteca de Beechwood. Ayer al acostarme me sentí muy sola en mi habitación y te eché de menos. No podía ponerme a estudiar porque le había prometido a la señorita Stacy que no lo haría, pero me costó una barbaridad no abrir mi libro de historia.

Esta mañana la señorita Stacy ha venido a buscarme y, después de recoger también a Jane, a Josie y a Ruby, hemos ido a la universidad. Todas estábamos muy nerviosas, y Josie Pye me ha dicho que considera que, aunque consiga aprobar, no seré capaz de soportar la presión del curso de profesora. ¡Creo que aún no he aprendido a soportar a esa chica!

Cuando llegamos a la universidad, había montones de estudiantes de todos los rincones de la isla. La primera persona a la que vimos fue a Moody Spurgeon, que no paraba de repetir por lo bajo las tablas de multiplicar para intentar calmarse.

En cuanto nos asignaron las aulas, la señorita Stacy tuvo que marcharse. A Jane y a mí nos sentaron juntas, y ella estaba tan tranquila que me dio envidia. ¡Está claro que ella no necesita recitar las tablas de multiplicar! Yo, por el contrario, no tenía muy claro si los demás alumnos de nuestra aula no estarían oyendo los latidos de mi corazón. Entonces entró un hombre que empezó a repartir las hojas del examen de lengua. Cuando lo cogí se me quedaron las manos heladas y la cabeza empezó a darme vueltas, justo igual que hace cuatro años cuando le pregunté a Marilla si podía quedarme en Las Tejas Verdes. Pero enseguida me calmé, porque me di cuenta de que era capaz de contestar a las preguntas.

Después de comer, volvimos para hacer el examen de historia. Ha sido bastante difícil, pero aun así creo que me ha ido bien, Diana. Sin embargo, mañana toca

geometría, y cuando pienso en ello me entran unas ganas terribles de abrir el libro y ponerme a estudiar. Si pensara que las tablas de multiplicar iban a valerme de algo, me pondría a recitarlas ahora mismo hasta mañana por la mañana.

Por la tarde he salido un rato con las demás chicas. De camino a su casa de huéspedes me he cruzado con Moody Spurgeon, que me ha dicho que estaba seguro de que había suspendido historia y que se iba a casa en el primer tren de la mañana. Lo he animado y lo he convencido para que se quede hasta el final, porque lo contrario sería injusto para la señorita Stacy. Algunas veces he deseado haber nacido niño, pero cuando veo a Moody Spurgeon, siempre me alegro de ser una chica... y de no ser su hermana.

He llegado a la pensión, y Ruby estaba histérica porque acababa de descubrir que había cometido un fallo terrible en el examen de lengua. Luego se ha calmado y nos hemos ido a tomar un helado. Cómo me habría gustado que estuvieras con nosotras.

¡Qué ganas de que pase el examen de geometría, Diana! Pero, como diría la señora Lynde, el sol seguirá saliendo y poniéndose apruebe yo o no. Aunque eso no me consuela mucho, la verdad, ¡yo preferiría que el mundo se parara si suspendo!

Con todo mi cariño,

Ana

Los exámenes llegaron a su fin y Ana volvió a casa el viernes por la tarde, cansada pero contenta. Diana la estaba esperando en Las Tejas Verdes y se reencontraron como si hiciera años que no se veían.

—Mi querida amiga, es maravilloso volver a verte. ¡Es como si hubiera pasado un siglo desde que te marchaste a la ciudad! ¿Cómo te ha ido, Ana?

—Bastante bien, creo, en todo menos en geometría. No sé si habré aprobado o no, pero tengo la inquietante sensación de que no. ¡Cómo me alegro de estar de vuelta, Las Tejas Verdes es el mejor lugar del mundo!

—¿Y cómo les ha ido a los demás?

—Las chicas dicen que están seguras de que no han aprobado, pero yo creo que lo han hecho bastante bien. Moody Spurgeon sigue pensando que ha suspendido historia, y Charlie dice que él no ha aprobado álgebra. Pero en realidad no sabremos nada hasta que publiquen la lista de aprobados, y para eso quedan dos semanas. ¡Imagínate qué nervios vivir quince días con este suspense! Ojalá pudiera echarme a dormir y no despertarme hasta que haya acabado todo.

Diana sabía que sería inútil preguntarle cómo le había ido a Gilbert Blythe, así que se limitó a decirle:

—Bueno, seguro que apruebas, no te preocupes.

—Preferiría suspender a no quedar en una buena

posición en la lista —aseguró Ana, y con aquello quería decir, como bien sabía Diana, que su éxito sería incompleto y amargo si no quedaba por encima de Gilbert Blythe.

Durante su estancia en Charlottetown, ambos se habían cruzado por la calle en varias ocasiones sin siquiera saludarse, y en cada una de ellas la muchacha había adoptado una postura un poco más orgullosa y deseado con más fuerza haber aceptado la amistad de Gilbert cuando él se la ofreció. Pero también se había prometido con mayor determinación cada vez superarlo en los exámenes. Sabía que todos los jóvenes de Avonlea se preguntaban cuál de los dos ganaría; sabía que incluso había apuestas al respecto y que Josie Pye clamaba que no cabía duda alguna de que Gilbert sería el primero. Ana sentía que, si no lograba superarlo, no podría soportar la humillación.

Pero también tenía otro motivo más noble para destacar: quería sacar buenas notas por Matthew y Marilla, sobre todo por Matthew. Este había asegurado que Ana «ganaría a toda la isla». La muchacha sabía que era ridículo esperar algo así, pero sí albergaba la esperanza de encontrarse al menos entre los diez primeros para que los ojos castaños y bondadosos de Matthew brillaran de orgullo. Sentía que esa sería una buena recompensa por todos los esfuerzos que habían hecho por ella.

Dos semanas más tarde, Ana también empezó a «asaltar» la oficina de correos, acompañada de Jane, Ruby y Josie. Charlie y Gilbert tampoco pudieron reprimir el impulso de ir a abrir los periódicos procedentes de Charlottetown con las manos temblorosas y frías, pero Moody Spurgeon se mantuvo resueltamente alejado de ellos.

—No tengo valor para ir a mirar la lista a sangre fría —le explicó a Ana—. Me limitaré a esperar hasta que alguien se acerque y me diga si he aprobado o no.

Pasaron tres semanas y la lista seguía sin aparecer. Ana empezaba a pensar que no sería capaz de soportar la tensión durante mucho más tiempo. Perdió el apetito y el interés en el día a día de Avonlea.

Pero una tarde llegó la noticia. Ana estaba sentada junto a la ventana contemplando un hermoso atardecer de verano, ajena por un rato a todas sus preocupaciones. De pronto, vio a Diana acercarse corriendo entre los árboles, cruzar el puente y subir por la ladera con un periódico en la mano. Se puso en pie de un salto, pues supo de inmediato qué contenía aquel diario. ¡Habían publicado la lista de aprobados! Se quedó paralizada y el corazón se le desbocó. Tuvo la sensación de que Diana tardaba una hora en entrar en su habitación sin siquiera llamar a la puerta de lo emocionada que estaba.

—¡Ana, has aprobado! —gritó—. ¡Eres la primera!

Gilbert y tú, los dos... Estáis empatados, pero tu nombre aparece primero. ¡Qué orgullosa estoy de ti!

Diana lanzó el periódico sobre la mesa y se tiró sobre la cama de Ana, sin aliento e incapaz de decir una sola palabra más. Su amiga trató de encender la lámpara, pero desperdició media docena de cerillas antes de que sus manos temblorosas lo consiguieran. Luego cogió el periódico. Sí, había aprobado... ¡Allí estaba su nombre, en lo más alto de una lista de doscientos!

—Lo has hecho estupendamente, Ana —jadeó Diana, que consiguió recuperarse lo suficiente para hablar, pues su amiga no había dicho nada en absoluto—. Mi padre ha traído el periódico de Bright River hace diez minutos. Aquí no llegará hasta mañana, y en cuanto he visto la lista de aprobados he venido corriendo. Habéis aprobado todos, hasta Moody Spurgeon. Seguro que la señorita Stacy estará encantada. Oh, Ana, ¿qué se siente al ser la primera de una lista así? Si fuera yo, me volvería loca de alegría, pero tú estás muy calmada.

—Es que no me lo creo —contestó la chica—. Quiero decir mil cosas, pero no encuentro palabras para expresarlas. Ni siquiera había soñado con un resultado así... Bueno, sí, ¡solo una vez! Una vez me permití pensar «¿Y si eres la primera?», pero me pareció muy presuntuoso imaginar que podía ganar a toda la

isla. Perdóname, Diana, pero debo ir corriendo a contárselo a Matthew. Luego iré a darles la buena noticia a los demás.

Ambas salieron disparadas hacia el campo que había detrás del granero para contárselo a Matthew y, casualmente, la señora Lynde estaba hablando con Marilla junto a la valla.

—¡Matthew! —exclamó Ana—, he aprobado y soy la primera... o una de las primeras. No presumo de ello, pero estoy muy agradecida.

—Bien, ya te lo había dicho —dijo el hombre mientras miraba encantado la lista del periódico—. Sabía que no te costaría ganarlos a todos.

—Debo reconocer, Ana, que lo has hecho muy bien —dijo Marilla intentando ocultar su intenso orgullo de la mirada crítica de la señora Lynde.

Pero fue precisamente Rachel Lynde quien dijo:

—Por supuesto que lo ha hecho bien, y no seré yo quien lo niegue. Eres un orgullo para tus amigos, Ana, eso es; todos nos sentimos muy orgullosos de ti.

Aquella noche, la muchacha, que había rematado la tarde con una maravillosa charla con la señora Allan en la casa parroquial, se arrodilló junto a su ventana y dio las gracias con una oración que le salió directa del corazón. Y, cuando se quedó dormida sobre su almohada, sus sueños fueron tan brillantes y hermosos como cualquiera habría podido desear.

CAPÍTULO 16

EL CONCIERTO DEL HOTEL

—ES MEJOR QUE TE PONGAS EL DE ORGANDÍ BLANCO, Ana, —aconsejó Diana con firmeza.

Las dos estaban en la buhardilla de Las Tejas Verdes. Fuera, los ruidos del anochecer veraniego comenzaban a inundar el ambiente, pero los postigos de la habitación estaban cerrados, pues la muchacha se estaba arreglando dentro.

La buhardilla había cambiado mucho desde la noche de la llegada de Ana, hacía cuatro años. La alfombra de terciopelo con rosas de color rosa y las cortinas de seda a juego que había imaginado en un principio nunca habían llegado a materializarse, pero Marilla había ido aceptando con resignación algunos cambios que la habían convertido en un refugio perfecto para una chica de la edad de Ana. Las paredes esta-

ban adornadas con unos cuantos cuadros que le había regalado la señora Allan, y la fotografía de la señorita Stacy, bajo la que la joven colocaba siempre flores frescas, ocupaba un lugar destacado en el dormitorio. Además, contaba con una estantería blanca llena de libros, una mecedora tapizada, un espejo con marco dorado que antes estaba en la habitación de invitados y una cama blanca y baja.

Ana se estaba preparando para asistir a un concierto en el Hotel White Sands. Los huéspedes lo habían organizado para recaudar fondos para el hospital de Charlottetown, y habían contactado con todos los jóvenes talentos de la zona para que colaboraran. Ana Shirley, de Avonlea, iba a recitar poemas. Como ella misma habría dicho hacía un tiempo, aquello «iba a marcar una época en su vida», así que estaba emocionada. Matthew estaba orgullosísimo del honor que le habían concedido a su Ana, y Marilla no le iba a la zaga, aunque no lo habría reconocido por nada del mundo y aseguraba que no era decente que un montón de jóvenes merodearan por el hotel sin la supervisión de una persona responsable. Ana y Diana irían con Jane Andrews y su hermano Billy, y allí se encontrarían con otros chicos y chicas de Avonlea. También se esperaba que hubiera visitantes de la ciudad y, después del concierto, todos los participantes cenarían juntos.

—¿De verdad crees que el vestido de organdí blanco es el mejor? —preguntó Ana con inquietud—. Creo que no es tan bonito como el de muselina de flores azules, y está claro que no es tan moderno.

—Ya, pero te sienta mucho mejor —aseguró Diana—. La muselina es más rígida y te da un aspecto más formal. Sin embargo, el organdí te queda muy natural.

Ana suspiró y cedió. Diana comenzaba a ser conocida por su buen gusto en el vestir, y ella apreciaba mucho sus consejos. Su amiga también iba muy guapa aquella noche, pero no formaría parte del espectáculo ni subiría al escenario, así que su apariencia le parecía menos importante y estaba totalmente volcada en que Ana estuviese perfecta.

—Colócate ese volante más... así; ven, que te ato el fajín. Bien, y ahora los zapatos. Voy a hacerte dos trenzas y te pondré unos preciosos lazos blancos. Te he traído una rosa blanca para el pelo, solo quedaba una en el rosal y te la he estado guardando.

—¿Me pongo el collar de perlas? —preguntó Ana—. Matthew me lo trajo de la ciudad la semana pasada y sé que le hará ilusión vérmelo puesto.

Diana frunció los labios, pensó durante unos instantes y finalmente se decidió a favor de las perlas, que enseguida pasaron a rodear el blanquísimo cuello de Ana.

—Eres una persona muy elegante, Ana —comentó Diana con admiración sincera—. Creo que tiene que ver con tu silueta. Yo parezco un bollito de pan.

—¡Pero si tienes unos hoyuelos preciosos! —dijo Ana dedicándole una sonrisa cariñosa—. Yo ya he renunciado a mi sueño de tener hoyuelos algún día. Ese no se cumplirá nunca, pero se me han cumplido tantos otros que no me atrevo a quejarme. ¿Estoy lista ya?

—Lista —confirmó Diana al mismo tiempo que Marilla, con el pelo mucho más gris y la cara mucho más suave que antaño, aparecía en la puerta—. Entra a ver a nuestra recitadora, Marilla, ¿a que está preciosa?

La mujer emitió un sonido a medio camino entre un resoplido y un gruñido.

—No está mal. Me gusta cómo le queda el pelo así, pero estoy segura de que destrozará el vestido con el polvo y el rocío del camino. Además, el organdí es un tejido demasiado ligero para la humedad de estas noches. Ya le dije a Matthew cuando te compró ese vestido que era casi inservible, pero ya no me hace ni caso. Ten cuidado de que las ruedas de la calesa no te pillen la falda, Ana, y ponte una chaqueta que abrigue.

Después la mujer bajó la escalera pensando con orgullo en lo guapa que estaba Ana y lamentando no poder asistir al concierto para ver a su niña recitando.

—¿Crees que habrá humedad esta noche? —preguntó Ana inquieta.

—Qué va, fíjate —contestó su amiga al tiempo que abría los postigos.

—Me encantan las vistas desde esta habitación. Ay, Diana, le tengo tanto cariño a esta buhardilla que no sé muy bien cómo voy a apañármelas sin ella cuando me marche a la ciudad el mes que viene.

—No menciones tu marcha esta noche —le suplicó Diana—. No quiero pensar en ella, porque me pongo muy triste y hoy tengo ganas de pasármelo bien. ¿Estás nerviosa por la actuación?

—Qué va, he recitado ya tantas veces en público que no me importa en absoluto volver a hacerlo. Ahí están Billy y Jane, he oído la calesa. Vámonos.

Billy insistió en que Ana se sentara delante con él, así que la muchacha aceptó a regañadientes. Habría preferido ir detrás con las chicas, con quienes habría podido reír y charlar alegremente. Billy era un joven de unos veinte años, con una cara la mar de inexpresiva y una angustiosa falta de destrezas comunicativas. Sin embargo, el joven admiraba a Ana, así que le hacía especial ilusión conducir hasta White Sands con ella sentada a su lado.

Ana Shirley consiguió disfrutar del paseo a pesar de todo. Aquella era una noche para pasárselo bien y el camino estaba lleno de risas y de calesas que se

dirigían al hotel. Cuando llegaron allí, el edificio estaba iluminado de arriba abajo. Las organizadoras del concierto los recibieron en la puerta y una de ellas llevó a Ana hasta el camerino de los artistas, donde la chica se topó con todos los miembros del Club Sinfónico de Charlottetown. Entre ellos, de pronto se sintió asustada, tímida y rústica. La muchacha se quitó la chaqueta y el sombrero y se encogió en un rincón.

Sobre el escenario, Ana se encontró aún peor. Las luces eléctricas la deslumbraban, los perfumes y el ruido la aturdían. Deseó estar sentada entre el público con Diana y Jane, que parecían estar pasándoselo en grande.

Por desgracia para Ana, entre los huéspedes del hotel había una recitadora profesional que había accedido a participar en el espectáculo. Era una mujer muy guapa, de ojos oscuros, que lucía un traje de noche gris muy bonito y piedras preciosas en el cuello y el pelo. Tenía una voz maravillosamente flexible y una gran capacidad de expresión. El público enloqueció con su interpretación. Cuando acabó, Ana se llevó las manos a la cabeza. No podía levantarse y recitar sus poemas después de aquello. ¡Ojalá pudiera marcharse de nuevo a Las Tejas Verdes!

Y entonces anunciaron su actuación. Sin saber muy bien cómo, Ana consiguió ponerse en pie y avan-

zar con inseguridad hasta la parte delantera del escenario. Estaba tan pálida que Diana y Jane tuvieron que agarrarse de la mano para controlar su nerviosismo.

Ana sufrió un terrible ataque de pánico escénico. Nunca se había enfrentado a un público como aquel, y el mero hecho de verlo la dejó paralizada. Todo era tan extraño, tan brillante, tan desconcertante... Muy distinto a los sencillos bancos del Club de Debate, llenos de las caras conocidas y agradables de sus amigos y vecinos. Aquellas personas serían críticos implacables. Le temblaban las rodillas, era incapaz de abrir la boca, y si hubiera podido, habría salido corriendo del escenario a pesar de la humillación que le habría supuesto hacerlo.

Pero de repente, la mirada asustada de Ana se tropezó con la cara de Gilbert Blythe entre el público. El chico la contemplaba con una sonrisa que a ella le pareció triunfante y burlona a la vez. En realidad, el muchacho solo sonreía encantado por el efecto que producía sobre el escenario la figura esbelta y blanca de Ana recortada contra un fondo de palmeras. A su lado, Josie Pye, a quien Gilbert había llevado hasta allí, sí mostraba una expresión triunfante y burlona, pero Ana no la vio, y de haberlo hecho le habría dado completamente igual. La joven cogió aire para tranquilizarse y alzó la cabeza con orgullo. Se negaba a fracasar delante de Gilbert Blythe, no le daría ni la más mínima oportunidad de reírse de ella. ¡Jamás! El miedo y los nervios desaparecieron, y Ana comenzó a declamar su poema. Tras aquel horrible momento de impotencia, recitó como nunca lo había hecho y la sala estalló en aplausos cuando terminó.

Ana volvió a su asiento sonrojada. Una mujer rolliza con un vestido de seda rosa la agarró de la mano.

—Querida, lo has hecho espléndidamente, ¡me has hecho llorar! Te están pidiendo un bis, ¡quieren que vuelvas a recitar!

—Vaya, no podría... —dijo Ana confusa—. Sin embargo... debo hacerlo, si no Matthew se llevará una decepción. Él ya me advirtió de que me pedirían un bis.

—Entonces no decepciones a Matthew —repuso la mujer de rosa entre risas.

Sonriendo y ruborizada, Ana ocupó de nuevo el frente del escenario y volvió a cautivar al público con una breve selección de poemas. El resto de la velada fue todo un triunfo para la joven. Cuando acabó el concierto, la señora rechoncha de rosa, que resultó que era la mujer de un millonario estadounidense, le presentó a todo el mundo. La señora Evans, la recitadora profesional, se acercó para felicitarla. Cenaron en un salón muy bien decorado, y Diana y Jane pudieron acompañarla. Billy, atemorizado ante la sim-

ple idea de que pudieran invitarlo a sentarse a la mesa, las esperó fuera para llevarlas a casa.

—¿No os ha parecido una noche preciosa? —preguntó Jane con un suspiro cuando ya se alejaban de White Sands en la calesa—. Me gustaría ser una de esas estadounidenses ricas para pasar el verano en un hotel comiendo helados todos los días. Creo que sería mucho más divertido que ser maestra de escuela. Ana, lo has hecho muy bien, aunque al principio pensé que no ibas a ser capaz de arrancar. Creo que has recitado mejor que la señora Evans.

—¡No digas esas cosas, Jane! —replicó Ana enseguida—. Es imposible que lo haya hecho mejor que

la señora Evans, porque ella es una profesional y yo solo una estudiante a la que no se le da mal recitar. Me conformo con que a la gente le haya gustado.

—Tengo un elogio para ti, Ana —intervino Diana—. Al menos creo que es un cumplido, por el tono en que lo ha dicho. Había un estadounidense sentado detrás de nosotras, un hombre de aspecto romántico, con los ojos y el pelo negros. Josie Pye dice que es un artista famoso. Bueno, el caso es que le hemos oído preguntar que quién era esa chica del magnífico pelo ticianesco, ¿verdad, Jane? También ha dicho que tenías una cara que le gustaría pintar. Ana, ¿qué significa tener «el pelo ticianesco»?

—Yo diría que simplemente quiere decir rojo —contestó Ana riendo—. Tiziano fue un artista muy famoso al que le gustaba pintar mujeres pelirrojas.

—¿Habéis visto los diamantes que llevaban esas mujeres? ¿No os encantaría ser ricas, chicas? —preguntó Jane.

—Ya lo somos —respondió Ana con seguridad—. Tenemos dieciséis años, somos felices y las tres tenemos imaginación, más o menos. Mirad lo bonito que está el mar. No podríamos disfrutar más de este momento aunque tuviéramos millones de dólares y ristras de diamantes. No te cambiarías por ninguna de esas mujeres ni aunque pudieras, Jane.

—No lo tengo tan claro... —dijo su amiga sin convicción—. Yo creo que los diamantes tienen que ser un buen consuelo para cualquiera.

—Pues yo no quiero ser ninguna otra persona que no sea yo, aunque no llegue a tener un solo diamante en toda mi vida —aseguró Ana—. Estoy muy contenta de ser Ana de Las Tejas Verdes, con mi collar de perlas. Sé que Matthew me transmitió con él tanto cariño como el que le proporcionaron sus joyas a esa señora de rosa.

CAPÍTULO 17

UNA CHICA UNIVERSITARIA

Las tres semanas siguientes fueron muy ajetreadas en Las Tejas Verdes, puesto que Ana se estaba preparando para marcharse a la universidad y había mucho por coser y un montón de cosas que hablar y organizar. Matthew se ocupó de que Ana se llevara la maleta llena de ropa bonita, y por una vez Marilla no puso ningún tipo de objección a nada de lo que él compraba o sugería. De hecho, la mujer subió una tarde a la buhardilla para llevarle a Ana una delicada tela de color verde pálido.

—Esto es para hacerte un vestido ligero y bonito —le dijo—. Creo que en realidad no lo necesitas, pero he pensado que a lo mejor te apetece tener algo verdaderamente elegante por si te invitan a una fiesta o algo así en la ciudad. Me he enterado de que Jane,

Ruby y Josie llevarán «vestidos de noche», según los llaman, y no quiero que tú seas menos que ellas. Le pedí a la señora Allan que me ayudara a escoger la tela la semana pasada en la ciudad, y te lo hará una modista profesional.

—¡Vaya, Marilla, es preciosa! —exclamó Ana—. Muchísimas gracias. No tendrías que portarte tan bien conmigo, porque eso hace que cada día que pasa me resulte más difícil tener que marcharme.

Cuando el vestido verde estuvo acabado, Ana se lo puso una tarde en casa para enseñárselo a Matthew y a Marilla y les recitó un poema en la cocina. Mientras la observaba, Marilla se puso a pensar en la tarde en que la muchacha había llegado a Las Tejas Verdes y recordó con claridad a aquella niña extraña y asustada cuyos ojos llenos de lágrimas reflejaban una angustia desbordante. Aquella imagen hizo que fuera a ella a quien se le saltaran las lágrimas.

—Caramba, Marilla, mi poema te ha hecho llorar —dijo Ana antes de acercarse a la mujer para darle un beso en la mejilla—. Esto sí que es un triunfo.

—No lloraba por el poema —replicó Marilla, para quien haberse emocionado por algo relacionado con la poesía habría sido un signo de debilidad—. Es solo que me he acordado de cuando eras pequeña, Ana. Me gustaría que te hubieras quedado como entonces, a pesar de lo rara que eras. Ahora has crecido y estás muy distinta, y con ese vestido es como si... como si ya no pertenecieras a Avonlea. Y me he sentido muy sola al pensarlo.

—¡Marilla! —Ana se sentó en el regazo de la mujer y le sujetó el rostro con las manos para poder mirarla a los ojos con ternura—. No he cambiado en absoluto, por dentro sigo siendo la misma de siempre. No importará lo más mínimo adónde me vaya o cuánto cambie mi apariencia, ya que en el fondo siempre seré tu pequeña Ana, que os querrá a ti, a Matthew y a Las Tejas Verdes más y mejor cada día de su vida.

A Marilla le habría gustado poseer la misma facilidad que Ana para expresar sus sentimientos con palabras, pero su carácter y la costumbre se lo impidieron, así que se limitó a rodear a la muchacha con los brazos y a estrecharla contra su pecho deseando que no tuviera que irse.

Matthew, con los ojos sospechosamente enrojecidos, se levantó y salió de la casa.

—Bueno, pues no la hemos malcriado mucho —masculló con orgullo—. Supongo que, al final, el que yo haya interferido de vez en cuando en su educación no le ha hecho mucho daño. Es inteligente y guapa, y cariñosa, que es mucho mejor que todo lo anterior. Ha sido una bendición para nosotros, y el error que cometió la señora Spencer ha sido lo mejor que nos ha pasado en la vida.

Por fin llegó el día en que Ana tenía que irse a la ciudad. Matthew la llevó hasta allí una bonita mañana de septiembre, después de una despedida lacrimógena con Diana y una bastante más serena y práctica con Marilla (al menos por parte de esta última). Pero cuando Ana se marchó, Diana se secó los ojos y se fue de pícnic a la playa con sus primos, mientras que Marilla se quedó todo el día en casa limpiando cosas que no necesitaban limpiarse con la esperanza de aplacar así el sufrimiento de su corazón. Cuando se acostó aquella noche, dolorosamente consciente de que la buhardilla estaba vacía, la mujer enterró la cara en la almohada y lloró por su niña con una intensidad que la abrumó cuando se calmó lo suficiente para reflexionar sobre ella.

Ana y el resto de los estudiantes de Avonlea llegaron a la ciudad justo a tiempo para empezar las clases. El primer día pasó volando, puesto que fue muy emocionante conocer a todos los compañeros y profesores nuevos, así como localizar las aulas y organizarse. Tanto Ana como Gilbert pretendían obtener su título de profesores en un año en lugar de en dos, por lo que fueron los únicos que coincidieron en una misma clase. Ana se sintió muy sola al sentarse en aquella aula con otros cincuenta alumnos y darse cuenta de que Gilbert era el único al que conocía. Por otro lado, se alegró muchísimo de que la vieja rivalidad entre ambos pudiera continuar en la universidad.

«No me sentiría cómoda sin ella —pensó—. Gilbert parece estar muy decidido, seguro que quiere ganar la medalla de honor del curso. ¡Qué barbilla tan atractiva tiene! Nunca me había fijado. Me pregunto cuáles de estas chicas terminarán convirtiéndose en mis amigas. Por supuesto, le he prometido a Diana que nunca querré a ninguna compañera de la universidad tanto como a ella, pero aun así me queda mucho afecto por regalar. Me gusta esa chica de los ojos castaños y el vestido carmesí. Y también está esa tan guapa y pálida que mira por la ventana. Tiene un pelo precioso y parece tener imaginación. Me gustaría conocerlas a las dos, pero eso todavía no ha sucedido, y a lo mejor ellas no quieren conocerme a mí. ¡Qué sola me siento!».

La sensación de aislamiento no hizo más que aumentar cuando Ana se encontró aquella noche totalmente sola en su habitación de la casa de huéspedes. La señorita Josephine Barry se había ofrecido a acoger a Ana, pero Beechwood quedaba demasiado lejos de la universidad, así que la anciana le había buscado otro alojamiento y le había asegurado a Matthew y Marilla que sería perfecto para Ana.

—La señora que regenta la casa de huéspedes es una dama viuda que escoge muy bien a los residen-

tes que acepta —explicó la señorita Barry—. Ana no tendrá ningún problema bajo su techo. Se come bien, y la casa está en un barrio tranquilo cerca de la universidad.

Todo aquello resultó ser verdad, pero no ayudó a la joven a superar la terrible añoranza que se apoderó de ella aquel primer día. Ana contempló con tristeza su pequeño cuarto de paredes sin cuadros, la cama de hierro y la estantería vacía, y se le formó un nudo en la garganta al compararla con su buhardilla de Las Tejas Verdes. Sabía que en la ciudad, al otro lado de su ventana, no había prados verdes, árboles y arroyos, sino una calle dura llena de cables teléfono y mil luces iluminando caras extrañas. Se dio cuenta de que iba a echarse a llorar y trató de contenerse.

«No voy a llorar, es una estupidez. Esta es la tercera lágrima que me resbala por la nariz. ¡Y vienen más! Tengo que pensar en algo divertido para detenerlas. Pero no hay nada divertido que no esté relacionado con Avonlea, y eso no hace más que empeorar las cosas. Cuatro... cinco... Iré a casa el viernes que viene, pero me da la sensación de que queda un siglo. Matthew ya estará a punto de llegar a casa, y Marilla habrá salido a la verja a esperarlo. Seis... siete... ocho... ¡No tiene ningún sentido contarlas! No soy capaz de alegrarme, ¡no quiero alegrarme! Es preferible estar triste».

Y las lágrimas se habrían convertido en un torrente de no haber aparecido Josie Pye justo en ese instante. Ana se puso tan contenta de ver una cara conocida que hasta se olvidó de que Josie y ella nunca habían sido muy amigas.

—Cómo me alegro de verte —le dijo a la chica con sinceridad.

—Has estado llorando —señaló Josie—. Supongo que echas de menos tu casa... Hay gente que tiene muy poco autocontrol en ese aspecto. Yo no pienso echar de menos Avonlea, la ciudad es demasiado divertida para eso. Hoy me lo he pasado genial en la universidad. ¿Tienes algo de comer por ahí? Estoy muerta de hambre. Ya me imaginaba que Marilla te habría preparado un pastel, por eso he venido. Si no, me habría ido al parque a ver tocar a la banda de Fran Stockley. Hoy se ha fijado en ti en clase y me ha preguntado que quién era esa chica pelirroja. Le he dicho que eras una huérfana adoptada por los Cuthbert y que nadie sabía mucho de tu vida anterior a eso.

Ana ya empezaba a preguntarse si la soledad y las lágrimas no serían mejores que la compañía de Josie Pye, cuando aparecieron Jane y Ruby.

—Vaya —suspiró Jane—, me siento como si hubiera pasado un siglo desde esta mañana. Debería estar en casa estudiando latín, pero esta noche era incapaz de concentrarme. Ana, parece que has estado llorando. Si es así, dímelo, porque me ayudará a recuperar el amor propio: yo no he podido parar de gimotear hasta que ha llegado Ruby.

Ruby vio los libros de Ana sobre la mesa y le preguntó a su amiga si aspiraba a ganar la medalla de honor del curso. Ana se sonrojó y admitió que se lo estaba planteando.

—Vaya, eso me recuerda —intervino Josie— que finalmente nuestra universidad podrá otorgar una beca Avery, se lo han comunicado hoy. Me lo ha dicho Frank Stockley, porque su tío es miembro del consejo. Mañana se anunciará en la universidad.

¡Una beca Avery! Ana sintió que el corazón se le aceleraba y que los horizontes de su ambición se ampliaban como por arte de magia. De pronto, pasó de querer sacarse el título de profesora en un año a imaginarse consiguiendo la beca, estudiando una carrera en la Universidad Redmond de Kingsport y graduándose con toga y birrete.

Al final de aquel curso, el estudiante que consiguiera las mejores notas en lengua y literatura inglesas obtendría una beca para marcharse cuatro años a la Universidad Redmond. ¡No es de extrañar que Ana se acostara aquella noche con las mejillas encendidas!

«Trabajaré con todas mis fuerzas para lograr esa beca —decidió—. Matthew se sentiría muy orgulloso

si consiguiera licenciarme. Es maravilloso tener ambiciones, y además parece que nunca se acaban. En cuanto has alcanzado una, comienzas a atisbar la siguiente en el horizonte. Hacen que la vida sea muy interesante».

CAPÍTULO 18

EL INVIERNO EN LA UNIVERSIDAD

ANA TERMINÓ POR SUPERAR SU AÑORANZA, GRAcias sobre todo a la ayuda de sus visitas a casa durante los fines de semana. Mientras duró el buen tiempo, los estudiantes de Avonlea viajaron hasta Carmody en tren todos los viernes por la tarde. Desde allí, donde solían esperarlos Diana y otros jóvenes del pueblo, paseaban alegremente hasta llegar a Avonlea. Para Ana, aquellas eran las mejores horas de la semana.

Gilbert Blythe casi siempre caminaba al lado de Ruby Gillis y le llevaba amablemente la maleta. Ruby se había convertido en una joven muy atractiva con un carácter alegre y risueño. Era una muchacha bastante simpática que disfrutaba de los pequeños placeres de la vida.

—Pero no se me habría ocurrido pensar que fuera el tipo de chica que le gustaba a Gilbert —le susurró Jane a Ana.

Ana tampoco lo creía, pero no lo habría reconocido ni tan siquiera por la beca Avery. Imaginaba que sería muy agradable tener un amigo como Gilbert con el que bromear, charlar e intercambiar opiniones sobre libros, estudios y ambiciones. Gilbert tenía ambiciones, eso estaba claro, pero Ruby no parecía la clase de persona con la que pudieran comentarse esas cosas.

Ana no pensaba mucho en Gilbert. Para ella, los chicos, en las pocas ocasiones en que se tomaba la molestia de reflexionar sobre ellos, no eran más que posibles buenos compañeros. La joven tenía muchas amigas, pero también la vaga sensación de que cultivar amistades masculinas podría ayudarla a mejorar su concepto de camaradería y a comprender otros puntos de vista. No es que Ana se lo hubiera explicado con esas palabras exactas, pero sí creía que si Gilbert la hubiera acompañado alguna vez hasta su casa desde el tren, podrían haber mantenido muchas conversaciones interesantes acerca del nuevo mundo que los rodeaba. Era un chico inteligente, decidido a sacar todo lo posible de la vida y dar lo mejor de sí mismo. Ruby Gillis le había contado a Jane Andrews que no entendía la mitad de las cosas que Gilbert

Blythe le contaba y que Frank Stockley le parecía mucho más divertido que él, aunque ni la mitad de guapo, ¡así que era incapaz de decidir cuál de los dos le gustaba más!

Poco a poco, Ana fue creándose un grupo de amigas en la universidad; eran alumnas imaginativas y ambiciosas como ella. No tardó en hacerse íntima de la chica que llevaba el vestido carmesí, Stella Maynard, y de la pálida que miraba por la ventana, Priscilla Grant, que resultó ser una muchacha divertidísima y muy graciosa a la que le encantaba gastar bromas.

Después de Navidad, los estudiantes de Avonlea renunciaron a ir a casa todos los viernes y se concentraron en trabajar duro. A aquellas alturas, ya estaba bastante claro que los aspirantes a la medalla de honor se habían reducido prácticamente a tres: Gilbert Blythe, Ana Shirley y Lewis Wilson. Respecto a la beca Avery había más dudas, pues la lista se limitaba a seis posibles candidatos y cualquiera de ellos podría ganarla.

Ana se esforzaba mucho, con constancia. Su rivalidad con Gilbert era tan intensa como en la escuela de Avonlea, aunque ahora parecía más sana y menos hostil. Ella ya no deseaba salir victoriosa por el gusto de derrotar a Gilbert, sino por el orgullo que le produciría vencer a un rival tan digno como él. Merece-

ría la pena ganar, pero ya no pensaba que la vida sería insoportable si no lo consiguiera.

A pesar de las clases, los estudiantes también encontraban oportunidades para pasárselo bien. Ana pasaba muchos de sus ratos libres en Beechwood, adonde además solía ir a comer los domingos. La señorita Barry seguía siendo una mujer muy crítica, pero, por alguna razón, Ana nunca se convertía en objeto de sus dardos.

—Esa chica no para de mejorar —comentaba la anciana—. Todas las demás jóvenes de su edad me parecen iguales, pero ella tiene tantos matices como un arcoíris y, mientras dura, cada uno de ellos es más hermoso que el anterior. Creo que ya no es tan divertida como cuando era pequeña, pero se hace querer, y me gustan las personas que me ahorran tener que esforzarme para quererlas.

Entonces, casi antes de que pudieran darse cuenta, llegó la primavera. En Avonlea brotaban las flores y los bosques y los valles se teñían de color verde, pero en Charlottetown los agobiados estudiantes universitarios no hablaban más que de los exámenes, que ya estaban muy próximos.

—Me parece increíble que el trimestre esté a punto de acabarse —comentó Ana—. ¡Solo queda una semana para los finales! A veces me siento como si fueran lo más vital del mundo, pero después miro cómo florecen los árboles a nuestro alrededor y no me parecen ni la mitad de importantes.

Sus amigas no estuvieron de acuerdo: para ellas los exámenes eran esenciales en todo momento. Quizá Ana, que estaba segura de que, como mínimo, los aprobaría, pudiera permitirse no pensar mucho en ellos, pero cuando todo tu futuro depende de esos finales, como pensaban Jane, Ruby y Josie que ocurría con el suyo, no queda lugar para filosofías.

—Sería terrible suspender después de haber pasado todo el invierno en la universidad y de haberme gastado tanto dinero —dijo Jane con preocupación.

—A mí me da igual —intervino Josie—. Si no apruebo este año, ya lo haré el que viene, porque mi padre puede permitírselo. Ana, Frank Stockley dice que el profesor Tremaine le comentó que Gilbert Blythe va a llevarse la medalla y que Emily Clay seguramente consiga la beca Avery.

—Puede que eso me haga sentir mal mañana, Josie —contestó Ana entre risas—, pero ahora mismo, sabiendo que en Las Tejas Verdes están naciendo las violetas, no me importa mucho lograr la beca Avery o no. Me he esforzado un montón y empiezo a entender lo que quiere decir «disfrutar de la lucha». Después de intentarlo y ganar, lo mejor es intentarlo y fracasar. ¡Dejad de hablar de los exámenes y mirad qué día tan bonito!

—¿Qué te vas a poner para la graduación, Jane? —preguntó Ruby.

La conversación se centró entonces en los vaivenes de la moda. Pero Ana, con los codos apoyados en el alféizar de la ventana, se dedicó a contemplar el maravilloso atardecer tejiendo los sueños de su posible futuro con el hilo dorado del optimismo.

CAPÍTULO 19

LA GLORIA Y EL SUEÑO

JANE Y ANA SE DIRIGIERON JUNTAS A LA UNIVERSIdad la mañana en que los resultados de todos los exámenes debían publicarse en el panel de anuncios de la entrada. Jane caminaba sonriente y tranquila, pues estaba segura de que había conseguido aprobar, y con eso le bastaba. Ana, por el contrario, iba pálida y callada: le faltaban diez minutos para descubrir quién había ganado la medalla de honor y quién se había llevado la beca Avery.

—Está claro que obtendrás una de las dos cosas —le aseguró Jane, a quien ni se le pasaba por la cabeza la posibilidad de que los profesores fueran tan injustos como para decidir otra cosa.

—No tengo esperanzas de lograr la beca —contestó Ana—, porque todo el mundo dice que se la llevará

Emily Clay. Y no voy a acercarme a ese tablón de anuncios y a comprobarlo delante de todo el mundo, no soy tan valiente. Acércate tú a mirar los resultados y luego ven a decírmelos al vestuario de las chicas. Y, por favor, hazlo lo más rápido posible. Si he suspendido, dímelo directamente, no trates de suavizarlo. Prométemelo, Jane.

Su amiga se lo prometió, pero resultó que todas aquellas precauciones no fueron necesarias, porque en cuanto entraron en el vestíbulo de la universidad se encontraron a un montón de chicos cargando a Gilbert Blythe a hombros y gritando: «¡Bravo por Blythe, medallista de honor!».

Ana sintió una breve punzada de derrota y decepción: Gilbert la había derrotado. Vaya, Matthew se llevaría un disgusto, estaba totalmente convencido de que se la llevaría ella.

Pero entonces alguien chilló:

—¡Tres hurras por la señorita Shirley, ganadora de la Avery!

—¡Ana! —exclamó Jane entre el coro de felicitaciones efusivas—. ¡Qué orgullosa estoy de ti!

Y las chicas las rodearon, abrazaron a Ana, le estrecharon la mano, le dieron palmaditas en la espalda, pero lo único que ella fue capaz de susurrarle a Jane fue:

—¡Qué contentos se van a poner Matthew y Ma-

rilla! Tengo que escribir a casa para contarles la noticia de inmediato.

El siguiente acontecimiento importante fue la graduación. Se celebró en el salón de actos de la universidad y Matthew y Marilla se sentaron entre el público. Solo tenían ojos y oídos para una de las estudiantes del escenario: una chica alta de ojos soñadores que leyó el mejor ensayo y a la que todo el mundo señalaba como la ganadora de la beca Avery.

—Supongo que te alegrarás de que nos la quedáramos, Marilla —le susurró Matthew a su hermana cuando la joven terminó de leer su ensayo.

—No me restriegues las cosas, Matthew Cuthbert —le replicó Marilla.

La señorita Barry, que estaba sentada justo detrás de ellos, se inclinó hacia delante para preguntarle a Marilla:

—¿No estás orgullosa de la niña Ana? Yo sí.

La joven regresó a Avonlea con Matthew y Marilla aquella tarde. No había ido a casa desde abril, y tenía la sensación de que no podría aguantar ni un día más. Diana estaba esperándola en Las Tejas Verdes y ambas subieron a la buhardilla, donde Ana exhaló un suspiro de felicidad.

—Cómo me alegro de estar de vuelta, Diana. ¡Y cómo me alegro de verte!

—Pensaba que preferías a Stella Maynard —le es-

petó su amiga en tono de reproche—. Me lo ha dicho Josie Pye.

Ana se echó a reír.

—Stella Maynard es la mejor chica del mundo, con una excepción: tú —le aclaró—. Te quiero más que nunca, y tengo un montón de cosas que contarte, pero creo que ahora mismo me basta con sentarme aquí contigo. Estoy cansada... cansada de estudiar y de ser ambiciosa. Mañana voy a pasarme al menos dos horas tumbada en la hierba sin pensar absolutamente en nada.

—Lo has hecho muy bien, Ana. Supongo que ahora que has conseguido la beca no te dedicarás a enseñar.

—No, me iré a Redmond en septiembre. ¿No es maravilloso? Primero tres magníficos meses de vacaciones y después un montón de ambiciones nuevas. Es fantástico que todos hayamos aprobado, incluso Moody Spurgeon y Josie Pye.

—Gilbert Blythe sí que va a ser profesor. No le queda otro remedio, porque su padre no puede permitirse que siga estudiando, así que quiere ahorrar para pagárselo él. Si la señorita Ames decide marcharse, estoy segura de que le ofrecerán la escuela de Avonlea.

Ana experimentó una sensación de sorpresa desagradable. Se había hecho a la idea de que Gilbert

también continuaría su formación en Redmond. ¿Qué iba a hacer sin la inspiración que le proporcionaba la rivalidad con su amigo-enemigo?

A la mañana siguiente durante el desayuno, la muchacha se dio cuenta de que Matthew no tenía buen aspecto. Estaba mucho más apagado que hacía un año.

—Marilla, ¿Matthew está bien? —preguntó titubeante después de que él se fuera.

—No, no lo está —contestó la mujer con intranquilidad—. Ha tenido problemas serios de corazón durante esta primavera, pero sigue sin bajar ni una pizca su ritmo de trabajo. He estado muy preocupada por él, pero últimamente se encuentra algo mejor y hemos contratado a un buen trabajador, así que tengo la esperanza de que descanse un poco y se recupere. Quizá lo haga ahora que tú estás en casa. Tú siempre lo animas.

Ana se acercó a Marilla y le tomó el rostro entre las manos.

—Tú tampoco tienes tan buen aspecto como me gustaría, Marilla. Pareces cansada, seguro que has estado trabajando más de la cuenta. Ahora que estoy en casa, debes descansar. Solo me tomaré libre el día de hoy para ir a visitar todos los lugares que echo de menos, después será tu turno de hacer el vago mientras yo me encargo del trabajo.

Marilla le dedicó una sonrisa cariñosa.

—No es el trabajo, es la cabeza. Ahora me duele muy a menudo, detrás de los ojos. El doctor Spencer me ha cambiado mil veces de gafas, pero no mejoro. A finales de junio vendrá un oculista de renombre a la isla, y el doctor Spencer dice que debo verlo. Supongo que tendré que hacerlo, porque ya no puedo leer ni coser con comodidad. Ana, lo has hecho muy bien en la universidad, te has sacado el título de profesora en un solo año y has conseguido la beca Avery. Rachel Lynde dice que el orgullo siempre precede a la caída... Ahora que la menciono, ¿has oído comentar algo del Banco Abbey?

—Tengo entendido que está en apuros —contestó Ana—. ¿Por qué?

—Eso nos dijo Rachel la semana pasada. Matthew se inquietó mucho, porque todos nuestros ahorros están en ese banco. Le pedí que los cambiara a otro, pero el anciano señor Abbey fue muy amigo de nuestro padre y siempre lo hemos gestionado todo con su entidad, así que Matthew no quiso hacerlo.

—Creo que hace bastantes años que el señor Abbey no está a cargo de la institución —señaló Ana—. Es muy mayor, así que en realidad son sus sobrinos quienes la dirigen.

—Ya, Rachel también nos lo comentó, así que volví a insistirle a Matthew en que sacara de allí nues-

tro dinero, y me dijo que lo pensaría. Pero ayer el señor Russell le comentó que el banco no tiene ningún problema.

Ana pasó un día fantástico al aire libre. Nunca lo olvidaría, puesto que fueron unas horas preciosas. Pasó un rato tumbada en el huerto y visitó el arroyo, el Valle de las Violetas y muchos rincones más. Fue a la casa parroquial para charlar con la señora Allan, y por la tarde acompañó a Matthew a por las vacas. El hombre caminaba despacio y encorvado, y la muchacha tuvo que adaptar sus andares saltarines a los de él.

—Hoy has trabajado demasiado, Matthew —le recriminó—. ¿Por qué no te tomas las cosas con más calma?

—Pues porque parece que no soy capaz —respondió él—. Es solo que me estoy haciendo viejo, Ana, pero siempre me olvido de ello.

—Si yo hubiera sido el niño que mandasteis a buscar —dijo la joven con tristeza—, ahora podría ayudarte con cientos de tareas y tú estarías más tranquilo. Solo por eso, me gustaría haberlo sido.

—Ana, prefiero tenerte a ti que a una docena de chicos —replicó Matthew mientras le daba unas palmaditas en la mano—. Para empezar, creo que no ha sido un chico el que ha conseguido la beca Avery, ¿no? Ha sido una chica, mi chica, esa de la que estoy tan orgulloso.

Entonces esbozó una sonrisa tímida que Ana se llevó de recuerdo a su habitación aquella noche. Antes de dormirse, la muchacha pasó mucho tiempo pensando en el pasado y soñando con el futuro mientras contemplaba la luna y la calma fragante del anochecer. Serían unas horas que recordaría para siempre, porque aquella noche fue la última antes de que el dolor entrara en su vida y la cambiara para siempre jamás.

CAPÍTULO 20

UN SEGADOR LLAMADO MUERTE

—¡MATTHEW, MATTHEW! ¿QUÉ OCURRE? MATTHEW, ¿no te encuentras bien?

La voz asustada que gritaba era la de Marilla. Ana entró en la casa a tiempo para oírla y ver a Matthew de pie, con un papel doblado en la mano y la cara extrañamente demacrada y gris. La joven dejó caer las flores que llevaba en los brazos y echó a correr hacia él al mismo tiempo que Marilla, pero ninguna de las dos fue capaz de alcanzarlo antes de que se desplomara contra el suelo.

—¡Se ha desmayado! Ana, ve a buscar a Martin, rápido, está en el granero.

Martin, el trabajador al que habían contratado, salió inmediatamente en busca del médico, y de camino se detuvo en casa de los Barry para pedirles que se

acercaran a Las Tejas Verdes. Rachel Lynde, que casualmente estaba de visita en Ladera del Huerto, también los acompañó. Se encontraron a Ana y Marilla intentando que Matthew recuperara la consciencia.

La señora Lynde las apartó con delicadeza, le tomó el pulso al hombre y después le acercó una oreja al corazón. Después miró a los demás con pesar y se le llenaron los ojos de lágrimas.

—Oh, Marilla, no creo que... podamos hacer nada por él —dijo en tono grave.

—Señora Lynde, no pensará... No puede pensar que Matthew está... está...

Ana fue incapaz de pronunciar aquella palabra; se mareó y se puso pálida.

—Sí, niña, me temo que sí. Mírale la cara.

Ana contempló el rostro inmóvil de Matthew y se dio cuenta de que la señora Rachel tenía razón, Matthew estaba muerto.

Cuando llegó el médico, les dijo que había sido una muerte instantánea y casi con toda seguridad indolora, causada por algún sobresalto repentino. La naturaleza del sobresalto se descubrió cuando miraron el papel que Matthew sostenía en la mano: contenía un informe de la caída del Banco Abbey.

La noticia se extendió rápidamente por Avonlea y durante todo el día los amigos y vecinos de la familia

se acercaron a Las Tejas Verdes a ofrecer su ayuda y sus condolencias. Por primera vez, el tímido y callado Matthew se convirtió en el protagonista principal de algo.

Cuando llegó la noche, la casa permaneció tranquila y en silencio. Los Barry y la señora Lynde se quedaron a pasar la noche con Ana y Marilla. Diana subió a la buhardilla, donde su amiga miraba por la ventana, y le dijo con cariño:

—Ana, querida, ¿quieres que me quede a dormir aquí esta noche contigo?

—Gracias, Diana. —La joven, que aún no había derramado ni una sola lágrima, miró a su amiga a los ojos con expresión grave—. Espero que entiendas que prefiero estar sola. No tengo miedo. No he pasado ni un instante a solas desde que sucedió, y lo necesito. Quiero quedarme callada y tratar de asumirlo. No soy capaz de asimilarlo, no dejo de pensar que Matthew no puede estar muerto.

La muchacha no lo entendió muy bien. Comprendía mucho mejor el dolor exaltado que mostraba Marilla, que se había desatado como una tormenta por encima de todas las barreras de su naturaleza reservada y de sus costumbres. Pero, aun así, Diana se marchó y dejó que su amiga pasara sola su primera noche de dolor.

Ana confiaba en que las lágrimas brotaran cuando se quedara sola. Le parecía terrible no ser capaz de llorar a Matthew, a quien tanto quería y quien tanto había hecho por ella. Pero no lo logró, ni siquiera cuando se arrodilló junto a la ventana para rezar en la oscuridad mirando a las estrellas: no hubo lágrimas, solo un terrible dolor que la acompañó hasta que se quedó dormida.

Se despertó en mitad de la noche y los recuerdos del día la invadieron de inmediato, llenándola de una absoluta tristeza. Recordó la sonrisa que Matthew le había dedicado su última tarde, sus palabras de cariño: «Mi chica, esa de la que estoy tan orgulloso». Fue en ese preciso momento cuando las lágrimas se desbordaron y la muchacha pudo descargar por fin su corazón.

Marilla la oyó y subió a consolarla:

—Vamos, vamos, no llores así, cariño. Tus sollozos no nos lo devolverán... No está bien llorar de esta manera... Yo no he podido evitarlo hoy, a pesar de que lo sabía...

—Déjame llorar, Marilla, por favor —gimió Ana—. Las lágrimas no me hacen tanto daño como ese dolor que sentía antes. Quédate un ratito conmigo y abrázame. No he querido que Diana se quedara porque no es su dolor, así que no podía acercarse a mi corazón lo suficiente para ayudarme. Es nuestro dolor, Marilla, tuyo y mío. ¿Qué vamos a hacer sin él?

—Nos tenemos la una a la otra, Ana. No sé qué haría si tú no estuvieras aquí, si no hubieras venido nunca. Sé que he sido muy estricta y dura contigo, pero no debes pensar que no te he querido tanto como Matthew. Quiero decírtelo ahora que puedo; siempre me ha costado expresar mis sentimientos, pero en momentos como este es más sencillo. Te quiero tanto como si fueras de mi propia sangre, y has sido mi alegría y mi consuelo desde que llegaste a Las Tejas Verdes.

Dos días más tarde, tras el entierro de Matthew Cuthbert, Avonlea recuperó su calma habitual, e in-

cluso en Las Tejas Verdes retomaron sus rutinas, aunque siempre con una dolorosa sensación de pérdida en todas y cada una de ellas. El hecho de que pudieran seguir adelante sin Matthew entristecía a Ana. Sentía algo parecido a la vergüenza y el remordimiento cuando descubría que los amaneceres desde su ventana seguían pareciéndole igual de hermosos, cuando las visitas de Diana la alegraban y hasta la hacían reír, cuando se daba cuenta de que la vida seguía llamándola con sus muchas voces insistentes.

—Ahora que Matthew se ha ido, me siento como si lo traicionara cuando disfruto de las cosas —le confesó una tarde a la señora Allan en el jardín de la casa parroquial—. Lo echo mucho de menos, señora Allan, y sin embargo el mundo y la vida siguen pareciéndome interesantes. Hoy me he reído con Diana y he tenido la sensación de que no debería haberlo hecho.

—Cuando Matthew estaba con nosotros le gustaba oírte reír y saber que disfrutabas de las cosas bonitas que te rodeaban —le contestó la mujer con amabilidad—. Y estoy segura de que ahora le sigue gustando. No creo que debamos cerrarnos a las cosas hermosas que nos ofrece la vida, pero entiendo tu sensación. Creo que todos la experimentamos, rechazamos la idea de que algo pueda gustarnos cuando alguien a quien amamos ya no está con nosotros para compartir esa alegría.

—Debo irme a casa. Marilla está sola y lo pasa realmente mal cuando empieza a anochecer, y ahora ya no está Matthew con ella.

—Me temo que su soledad será aún mayor cuando vuelvas a marcharte a la universidad —dijo la señora Allan.

La muchacha no contestó. Le dio las buenas noches y regresó caminando despacio a Las Tejas Verdes. Marilla estaba sentada en los escalones de la entrada y Ana se sentó a su lado.

—El doctor Spencer ha estado aquí —anunció Marilla—. Dice que el oculista estará mañana en la ciudad y que debo ir a que me examine la vista. Creo que será lo mejor. No te importará quedarte aquí sola, ¿verdad? Martin tendrá que llevarme en el carro y hay que planchar y cocinar.

—Estaré bien. Diana vendrá a hacerme compañía. Y no te preocupes, yo me encargaré de planchar y cocinar, no temas que almidone los pañuelos ni que le ponga bálsamo relajante a una tarta.

La mujer se echó a reír.

—Madre mía, cuántos errores cometías en aquella época, Ana. Siempre andabas metiéndote en líos. ¿Te acuerdas de cuando te teñiste el pelo?

—Claro que sí, creo que nunca lo olvidaré. Ahora a veces me río cuando me acuerdo de cuánto solían preocuparme mi pelo y mis pecas, pero tampoco mucho, porque lo pasaba realmente mal. A estas alturas ya no me quedan pecas y la mayor parte de la gente tiene la amabilidad de decirme que mi pelo es de color caoba... Todos excepto Josie Pye, que ayer mismo se encargó de dejarme muy claro que lo tenía más rojo que nunca o que, al menos, el vestido negro hacía que pareciera más rojo. Marilla, he decidido dejar de esforzarme para que Josie Pye me caiga bien. He realizado lo que en otros tiempos habría llamado un esfuerzo heroico por conseguirlo, pero no hay manera.

—Josie es una Pye, así que no puede evitar ser desagradable —sentenció Marilla—. ¿Sabes si va a dedicarse a la enseñanza?

—No, tiene que volver a la universidad de Charlottetown el año que viene.

—Gilbert Blythe sí va a hacerse profesor, ¿no?

—Sí —fue la escueta respuesta de Ana.

—Es un chico muy guapo —comentó Marilla distraídamente—. Lo vi el domingo pasado en la iglesia y me recordó a su padre cuando tenía su edad. John Blythe era un buen chico, éramos muy amigos. La gente decía que éramos novios.

Ana la miró con repentino interés.

—Vaya, Marilla, ¿y qué pasó? ¿Por qué no...?

—Nos peleamos y yo no lo perdoné cuando me lo pidió. Al cabo de un tiempo pensé en hacerlo, pero estaba enfadada y me pudieron las ganas de castigarlo. Él nunca volvió a pedírmelo, y siempre me he arrepentido de mi forma de actuar. Ojalá lo hubiera perdonado cuando tuve la oportunidad.

—O sea que tú también has tenido algo de romanticismo en tu vida —comentó Ana en voz baja.

—Sí, supongo que podrías llamarlo así. No lo parece, ¿verdad? Pero es que no se puede juzgar por las apariencias.

CAPÍTULO 21

LA CURVA EN EL CAMINO

MARILLA FUE A LA CIUDAD AL DÍA SIGUIENTE Y volvió por la tarde. Cuando Ana regresó de Ladera del Huerto, se la encontró en la cocina, sentada junto a la mesa y con la cabeza apoyada en las manos.

Ana sintió un escalofrío, porque nunca había visto a Marilla así, parada sin hacer nada.

—¿Estás cansada?

—Sí... no... no lo sé —contestó la mujer tras alzar la mirada—. Supongo que estoy cansada, pero no lo había pensado. No es eso.

—¿Has visto al oculista? ¿Qué te ha dicho? —preguntó Ana con nerviosismo.

—Sí, lo he visto. Me ha examinado los ojos y me ha dicho que si dejo de coser, de leer y de realizar cualquier tarea que me canse la vista, que si me esfuerzo en no llorar y me pongo las gafas que me ha dado, cree que es posible que mis ojos no empeoren y que los dolores de cabeza desaparezcan. Si no, estaré completamente ciega dentro de seis meses. Imagínatelo, ¡ciega!

Ana soltó una exclamación de angustia y después guardó silencio. Fue como si, por una vez, se hubiera quedado sin palabras. Después, con voz temblorosa pero valiente, dijo:

—Ni lo pienses, Marilla. Te ha dado esperanzas: si tienes cuidado, no perderás la vista del todo, y si las gafas te quitan los dolores de cabeza, ya será una gran mejora.

—No creo que eso sea dar esperanzas —dijo Marilla con amargura—. ¿Qué sentido tiene vivir si no puedo leer, coser ni hacer nada por el estilo? Y en cuanto a lo de llorar, no puedo evitarlo cuando me siento sola. Pero no merece la pena seguir hablando de ello. No le cuentes nada de todo esto a nadie todavía, por favor. No podría soportar que vinieran a hacerme preguntas, sentir lástima y hablar de ello.

Al cabo de un rato, Ana la convenció para que se acostara. Entonces la joven subió a su dormitorio de la buhardilla a llorar. ¡Qué triste giro habían dado los acontecimientos desde que había vuelto a casa! Tenía la sensación de que hubieran pasado años desde aquella primera noche tras volver de la universidad llena de alegría y esperanza en el futuro. Pero antes de dormirse, Ana ya había recuperado la sonrisa y la paz: había mirado a su deber a los ojos y había descubierto que era su aliado, como ocurre siempre que lo aceptamos con franqueza.

Unos cuantos días más tarde, Marilla entró en casa muy disgustada después de haber estado en el jardín hablando con un vecino de Carmody. Ana se preguntó qué le habría dicho aquel hombre para que Marilla se pusiera de ese humor.

—¿Qué quería el señor Sadler?

La mujer se sentó junto a la ventana y luego miró a la chica. Tenía los ojos llenos de lágrimas a pesar de las recomendaciones del oculista. Con la voz rota, contestó:

—Se ha enterado de que voy a vender Las Tejas Verdes y quiere comprarla.

—¡Comprarla! ¿Comprar Las Tejas Verdes? —Ana no tenía claro que la hubiera oído bien—. Pero, Marilla, ¿no pretenderás vender esta casa?

—Ana, no sé qué otra cosa puedo hacer. Lo he pensado muy bien. Si mi vista no peligrara, podría quedarme aquí y encargarme de todo con ayuda de un buen trabajador, pero así es imposible. Puede que me quede ciega, y en cualquier caso no podré hacerme cargo de todas las tareas. Jamás pensé que viviría para ver el día en que tuviera que vender mi hogar, pero si descuido la granja, nadie querrá comprarla más adelante. Además, perdimos nuestros ahorros en la caída del banco. La señora Lynde me ha aconsejado que venda la granja y alquile una habitación en algún sitio... en su casa, supongo. Menos mal que tú has conseguido la beca, Ana... Aunque no tendrás una casa a la que volver durante las vacaciones.

Marilla se derrumbó y rompió a llorar amargamente.

—No tienes que vender Las Tejas Verdes —dijo Ana con firmeza.

—No sabes cómo me gustaría que así fuera, pero ya lo ves tú misma: no puedo quedarme aquí sola.

—No te quedarás sola, Marilla, yo estaré contigo. No voy a marcharme a Redmond.

—¡Como que no vas a ir a Redmond! —Marilla levantó su rostro cansado y la miró—. ¿Qué quieres decir?

—Lo que oyes. No voy a aceptar la beca. Lo decidí la noche en que volviste de la ciudad. Marilla, ¿no pensarías que, después de todo lo que has hecho por mí, iba a dejarte sola ahora que estás en apuros? Ya lo tengo todo planeado, deja que te lo explique: el señor Barry quiere alquilar la granja para el próximo año, así que no tienes que preocuparte por eso; y yo voy a dedicarme a la enseñanza. He solicitado la escuela de aquí, pero me parece que ya se la han prometido a Gilbert Blythe, así que me quedaré con la

de Carmody. No será tan cómodo como si trabajara en Avonlea, pero yo misma puedo ir y volver con el carro todos los días, al menos mientras haga buen tiempo. Podré leerte y animarte, y así no te aburrirás ni te sentirás sola. Seremos felices aquí, juntas.

Marilla la había escuchado como si estuviera soñando.

—Ana, eso sería fantástico, pero no puedo permitir que te sacrifiques así por mí, sería terrible.

—¡Tonterías! —exclamó Ana riendo—. No es ningún sacrificio, no habría nada peor que tener que renunciar a Las Tejas Verdes, eso sí que me haría daño. Estoy decidida, Marilla, no voy a ir a Redmond y me quedaré aquí a dar clases en una escuela cercana. No te preocupes ni lo más mínimo por mí.

—Pero ¿y tus ambiciones? Y...

—Sigo siendo tan ambiciosa como siempre, pero ahora he cambiado de objetivos: voy a ser una buena profesora y voy a salvarte la vista. Además, también voy a estudiar a distancia, desde aquí, para sacarme una licenciatura universitaria. Como ves, tengo muchísimos planes. Cuando me saqué el título de profesora, mi futuro parecía extenderse ante mí como un camino totalmente recto, sin un solo obstáculo que me impidiera la visibilidad. Ahora tiene una curva. No sé qué es lo que hay detrás de ella, pero voy a confiar en que será lo mejor.

—Tengo la sensación de que no debería permitirte rechazarla —repuso Marilla refiriéndose a la beca.

—No puedes impedírmelo. Tengo dieciséis años y medio y soy «terca como una mula», tal como me dijo la señora Lynde una vez —rio Ana—. Marilla, no quiero darte pena, no me gusta darle pena a nadie, y además no es necesario. Me alegro mucho de quedarme en Las Tejas Verdes. Debemos conservar esta casa porque nadie la querrá tanto como nosotras.

—¡Bendita seas! —cedió la mujer—. Me siento como si acabaras de darme una vida nueva. Creo que debería insistir en que te marcharas a Redmond, pero no seré capaz de convencerte, así que ni siquiera lo intentaré. Te lo compensaré, Ana.

Cuando la noticia de la decisión de la joven se extendió por Avonlea, muchos fueron los que opinaron al respecto. La mayoría de los vecinos, que no conocían los problemas de vista de Marilla, pensaron que estaba cometiendo una estupidez. La señora Allan no lo creía así, y se lo hizo saber a Ana con unas palabras tan tiernas que hicieron que a la muchacha se le llenaran los ojos de lágrimas. La señora Lynde tampoco estaba de acuerdo con el sentir general. Una tarde fue a Las Tejas Verdes y se sentó en el banco de piedra de la entrada junto a Ana y Marilla.

—Bueno, Ana, tengo entendido que has renunciado a tu idea de ir a Redmond. Me alegré mucho cuando me enteré. No te hace falta meterte más conocimientos en la cabeza.

Ana se echó a reír y contestó:

—Señora Lynde, voy a seguir estudiando de todas maneras, pero lo haré desde Las Tejas Verdes.

La mujer levantó las manos horrorizada.

—¡Ana Shirley, acabarás matándote!

—Qué va, todo lo contrario, me vendrá muy bien para no aburrirme. Voy a ser la profesora de la escuela de Carmody, pero tendré mucho tiempo libre durante las largas tardes de invierno.

—Yo más bien diría que vas a enseñar en la escuela de Avonlea; los administradores han decidido dártela a ti.

—¡Señora Lynde! —exclamó la chica al mismo tiempo que se ponía en pie—. ¡Pero si creía que se la habían prometido a Gilbert Blythe!

—Y así era, pero en cuanto ese chico se enteró de que tú también la habías pedido, se reunió con los administradores para decirles que retiraba su solicitud y sugerirles que aceptaran la tuya. Les explicó que él se iba a ir a enseñar a White Sands. Creo que sabía cuánto deseabas quedarte con Marilla, así que ha sido todo un detalle por su parte, eso es. Es un verdadero sacrificio para él, porque ahora tendrá que pagarse el alojamiento en White Sands, y todo el mundo sabe que quiere ahorrar para poder volver a la universidad.

—Creo que no debería permitirlo —murmuró Ana—. Es decir... no creo que deba dejar que Gilbert haga ese sacrificio por mí.

—Diría que ya no puedes impedírselo, porque ya ha firmado los papeles de la escuela de White Sands. Ya no serviría de nada que rechazaras el puesto de Avonlea, así que acéptalo. ¡Madre mía! ¿Qué son esos destellos de la buhardilla de los Barry? ¿Hay fuego?

—No, Diana me está haciendo señales para que vaya a verla —aclaró Ana—. Perdonadme un momento, voy a ir a ver qué quiere.

La muchacha salió corriendo y la señora Lynde la miró con benevolencia.

—Todavía tiene muchas cosas de niña —aseguró.

—Sí, pero tiene muchas más de mujer —replicó Marilla con un retorno momentáneo a su antigua aspereza.

Pero el carácter de Marilla ya no era el mismo, y así se encargó de explicárselo la señora Lynde a su Thomas aquella noche:

—Marilla Cuthbert se ha ablandado, eso es lo que pasa.

Al atardecer siguiente, Ana volvía a casa desde el cementerio, donde había ido a poner flores frescas en la tumba de Matthew. Cuando bajaba por la colina, vio a un chico alto que cruzaba silbando la verja de la casa de los Blythe. Era Gilbert, que dejó de silbar en cuanto reconoció a la chica. La saludó educadamente levantándose el sombrero, pero habría pasado de largo sin decir nada si Ana no se hubiera detenido para tenderle la mano.

—Gilbert —lo llamó con las mejillas coloradas—, quiero darte las gracias por haberme cedido la plaza de la escuela. Ha sido muy amable por tu parte, y quiero que sepas que te lo agradezco mucho.

El muchacho le tomó la mano de inmediato.

—No tiene importancia. Ha sido un placer poder hacerte un pequeño favor. ¿Seremos amigos después de esto? ¿Me has perdonado de verdad por mi viejo error?

Ana rio y trató, sin éxito, de apartar la mano.

—Te perdoné aquel día junto al estanque, aunque en ese momento no fui capaz de darme cuenta. Me comporté como una cabezota. Te confieso que, desde aquel mismo día, estoy arrepentida de no haber aceptado tu disculpa.

—¡Vamos a ser buenísimos amigos! —exclamó Gilbert encantado—. Nacimos para ser buenos amigos, Ana, así que ya es hora de que dejemos de jugar con el destino. Sé que podemos ayudarnos de muchas formas. Vas a continuar con tus estudios, ¿verdad? Yo también. Vamos, te acompaño a casa.

Marilla miró a Ana con curiosidad cuando la joven entró en la cocina.

—¿Quién ha venido contigo hasta la verja, Ana?

—Gilbert Blythe —contestó la muchacha sonrojada—. Me lo he encontrado por el camino.

—No sabía que fuerais tan amigos como para quedaros media hora hablando junto a la entrada —comentó Marilla con una sonrisa seca.

—Bueno... hemos sido buenos enemigos, pero hemos decidido que a partir de ahora será mucho más sensato que nos llevemos bien. ¿De verdad hemos estado ahí fuera media hora? Me han parecido solo unos minutos. Pero, claro, tenemos que recuperar cinco años de conversaciones perdidas.

Aquella noche, Ana se sentó junto a su ventana sintiéndose satisfecha y alegre. Sus horizontes se habían estrechado bastante desde el día en que había regresado a casa desde Charlottetown, pero aun así la muchacha sabía que, por angosto que fuera ahora su camino, las flores de la felicidad siempre lo bordearían, porque disfrutaría de la alegría del trabajo duro, las aspiraciones dignas y la amistad sincera.

¡Y siempre le quedaría la curva en el camino!

ÍNDICE

Las peripecias de Ana de las Tejas Verdes, una saga clásica ahora revisada y actualizada en una cuidada edición ilustrada por Maria Llovet.

Primeros títulos en librerías

La llegada

Una amistad para siempre

Sigue las aventuras de

Ana de las Tejas Verdes

LOS CLÁSICOS DE JULIO VERNE EN UNA CUIDADA EDICIÓN ACTUALIZADA, ILUSTRADA Y ADAPTADA.

PRIMEROS TÍTULOS EN LIBRERÍAS

Dos años de vacaciones

La vuelta al mundo en 80 días

Las aventuras de siempre en el internado para niñas de Torres de Malory en una atractiva edición ilustrada.

Primer curso en Torres de Malory
Segundo curso en Torres de Malory
Tercer curso en Torres de Malory
Cuarto curso en Torres de Malory
Quinto curso en Torres de Malory
Último curso en Torres de Malory
Nuevo curso en Torres de Malory
Curso de verano en Torres de Malory
Curso de invierno en Torres de Malory
Un curso divertido en Torres de Malory

¡En Torres de Malory no hay quien se aburra!

Los Hollister

La gran familia de los Hollister vuelve con sus entretenidas aventuras, en una nueva edición actualizada ilustrada por Pedro Rodríguez.

Los felices Hollister
Los Hollister van al río
Los Hollister en el Castillo de Roca
Los Hollister y las monedas de la suerte
Los Hollister y el ídolo misterioso
Los Hollister en Suiza

Puck

Vuelve la estudiante, deportista, capitana y detective Puck en una atractiva edición ilustrada por Montse Martín.

Puck colegiala
Puck triunfa
Puck detective
Puck en la nieve
Puck en apuros
Puck en el cine

Marilla

Matthew